COLLECTION
FOLIO CLASSIQUE

George Sand

La Mare
au Diable

*Édition présentée, établie et
annotée par Léon Cellier*

Gallimard

PRÉFACE

Ceux qui sont capables de lire George Sand sans parti pris, et qui savent avec quelle justesse elle a parlé des Contemplations, *des* Chansons des rues et des bois *ou de* L'Éducation sentimentale, *sont convaincus de la lucidité de son regard critique.*

En 1852, parut une édition populaire illustrée de ses romans, pour laquelle elle rédigea des notices. La notice de La Mare au Diable *mérite de retenir notre attention. «Je sais mieux que personne à quoi m'en tenir sur mes propres desseins», y est-il dit d'une façon péremptoire... «Je n'ai voulu ni faire une nouvelle langue, ni me chercher une nouvelle manière.»*

Pourquoi alors tant de commentateurs ont-ils affirmé que le cycle inauguré par La Mare au Diable *représentait une nouvelle manière? On devine aisément que ces bien-pensants se sentent soulagés. Ils savent gré à la militante de renoncer à la propagande socialiste pour en venir à la pratique inoffensive de l'idylle rustique. Mieux encore: on assisterait dans le roman même à cette mue. Les erreurs passées, grâce à Dieu, ne s'étendent pas au-delà du Prologue. Sainte-Beuve qui, à lire cette Préface, éprouvait quelques craintes : « Je tremble toujours quand je vois une idée philosophique servir d'affiche à un roman », et qui surtout condamnait comme déclamatoires les apostrophes ou allusions aux* oisifs, *n'a plus, quand l'idylle commence, qu'à louer et s'émerveiller. G. Sand semble donc s'affranchir de l'influence néfaste de Leroux, pour s'en tenir, sinon à des berquinades, du moins à la voie bien tracée de la culture classique, à l'imitation de Virgile ou de Théocrite. Cette réaction bien-pensante est absurde. Non seulement on ne peut opposer roman socialiste et roman champêtre ou berrichon ; mais encore, comme l'observe nettement P. Salomon, « c'est par le socialisme que G. Sand a été conduite au roman champêtre ; sans P. Leroux, il n'y aurait probablement pas eu* La Mare au Diable *».*

L'humanité souffrante

G. Sand aimait le Peuple, le peuple qui n'était pas pour elle une notion abstraite, mais avait pris le visage précis et proche du paysan berrichon. Plaider la cause du peuple auprès des bourgeois dans des romans humanitaires, tel est le rôle qu'elle s'attribuait : « le roman d'aujourd'hui devrait remplacer la parabole » — comprenons que le roman est le nouvel évangile. Qu'elle se tournât vers le passé, qu'elle se tournât vers le présent, tout semblait exiger de la façon la plus pressante qu'elle persistât à jouer un rôle providentiel.

Nous ne mettrons pas en doute son témoignage, lorsqu'elle place à l'origine de son roman le choc qu'elle ressentit devant une gravure de Holbein de la série Les Simulachres de la mort *et qui représentait un squelette harcelant l'attelage d'un laboureur. L'image archaïque ne pouvait qu'indigner la militante endoctrinée par Leroux : quelle vision du monde abominable ! Que l'on rappelle aux riches « la fatale loi », si ce rappel peut les détourner de l'égoïsme, passe encore ; mais qu'à l'humanité souffrante soit proposée, non pas même la pseudo-consolation d'une compensation future, mais l'image atroce de la mort associée au travail, « cela ressemble à une malédiction amère lancée sur le sort de l'humanité ». Le romancier moderne ne saurait perpétuer cette vue ténébreuse ; il se doit d'exalter la vie, d'affirmer que la vie est bonne, que le travail, « sainte loi du monde », est joie et beauté. C'est pourquoi dans un bel effet de rhétorique, elle oppose à la gravure ancienne la chose vue, le crescendo des trois attelages de deux, quatre, huit bœufs, le dernier — « magnifique » — progressant escorté, non plus par le hideux squelette, mais par un enfant beau comme un ange.*

Or, G. Sand constate avec une inquiétude qui n'est pas feinte que les romanciers de son temps,

*au lieu de favoriser l'essor de la vie et de l'amour
par la réconciliation des classes sociales, adoptent
une attitude qu'on ne saurait admettre en un siècle
de progrès. Loin de présenter sous un jour aimable
le prolétariat en général, les paysans en particulier, ils se complaisent dans les « mystères d'ini-
quité », faisant des misérables des bêtes féroces, si
bien que les bourgeois redoutent les prolétaires au
lieu de les aimer, et ne cherchent qu'à les mettre
hors d'état de nuire.*

    *C'est en 1845 en effet que Balzac publie le début
des* Paysans *: d'après lui, l'homme des champs est
un monstre. Sans doute, plus que Balzac, l'auteur
des* Mystères de Paris *est-il visé ici ? Le pauvre est
présenté par lui « sous la forme du forçat évadé et
du rôdeur de nuit » ; mais E. Sue ne peint pas exclusivement les bas-fonds de la ville. C'est après avoir
lu de lui un roman peu connu,* Martin, *que G. Sand
écrit en juin 1846 : « Il voit les paysans avec une
autre lorgnette que moi. Peut-être ceux qu'il a vus
sont-ils laids comme ça. Je veux que vous examiniez
ceux de la Vallée Noire, et vous reconnaîtrez que je
n'ai pas été poète, mais tout bonnement juste dans*
La Mare au Diable. » *La Préface contient un aveu
plus significatif, puisqu'il porte, non plus sur l'objet, mais sur le sujet : « Nous aimons mieux les
figures douces et suaves que les scélérats à effet
dramatique. »*

    *Ainsi la fille spirituelle de Rousseau croit que les
mœurs des villes pervertissent, et elle veut nous*

persuader de la supériorité morale du paysan sur le citadin, du pauvre sur le riche, du travailleur sur l'oisif.

Pour envisager sous le bon angle ce prétendu idéalisme, il est indispensable d'aborder le problème sur le plan de la création romanesque. Si la romancière opte pour la naïveté, ses intentions n'en sont pas moins très complexes. Il convient de les démêler sous peine de se heurter à l'obstacle d'un paradoxe : l'évangile du progrès aboutissant à l'éloge des traditions provinciales.

Les romans pastoraux

À l'époque de Consuelo (1842-1844) elle avait été tentée, à l'exemple de Dumas, de Balzac, de Sue, par les sommes romanesques aux rebondissements infinis. Maintenant elle est séduite par la brièveté et la simplicité : « Si on me demande ce que j'ai voulu faire, je répondrai que j'ai voulu faire une chose très touchante et très simple. »

Ce ne sont pas les descriptions du Berry qui constituent une nouveauté. Dans plusieurs romans antérieurs : Valentine (1832), André (1834), Simon (1836), Le Compagnon du tour de France (1840), le Berry sert de cadre à l'action. Elle n'a pas caché que Latouche lui avait donné l'exemple. Après une période de froid, les deux romanciers berrichons venaient de se réconcilier : La Mare au Diable est *d'une certaine manière un hommage au vieux maître.*

Désormais cependant — et c'est là la définition du roman champêtre — les personnages sont pris exclusivement parmi les paysans. Mais lucide autant que modeste, G. Sand ne prétend pas découvrir un filon nouveau : pour elle, le roman de mœurs rustiques a existé de tout temps.

En revanche, il est un problème technique qui la passionne : comment faire parler les paysans ? En outre, la technique du récit n'est pas la même selon que le romancier rapporte en son nom l'histoire qu'il tient d'un paysan, ou met le récit directement dans la bouche d'un campagnard.

On constate alors que les solutions qu'elle adopte n'aboutissent pas à une formule standard, que chaque œuvre se présente comme une tentative de solution différente.

Quelles sont donc les caractéristiques de La Mare au Diable *?*

Elle a voulu que le paysan parle dans sa propre langue. Dans Jeanne, *publié en 1844, donc avant notre roman, les éléments de cette langue paysanne sont déjà assez nombreux. Mais L. Vincent souligne que* « Le Meunier d'Angibault *(1845),* Le Péché de monsieur Antoine *(1845),* La Mare au Diable *(1846) semblent marquer un recul dans cette voie. Des mots patois s'y trouvent isolés. L'auteur de* Jeanne *revient bientôt, cependant, à sa première idée, et avec* Le Champi *(1847), nous arrivons aux romans*

qu'on peut, quant au fond et quant à la forme,
appeler vraiment "romans pastoraux"». Donc
dans François le Champi, La Petite Fadette *(1848)*,
Les Maîtres sonneurs *(1853)*, *elle pousse beaucoup
plus loin que dans* La Mare au Diable *le compromis
entre le berrichon et le français.*

*Le socialisme avait chez elle paradoxalement
donné naissance à un dada : elle était convaincue,
comme beaucoup de ses contemporains, que la
poésie est d'origine populaire, que le peuple est
naturellement poète, que la poésie pour se renou-
veler a intérêt à revenir aux sources populaires.
Persuadée que l'art des conteurs paysans est supé-
rieur à celui de l'homme de lettres, elle voulait
s'approprier cet art qui sait peindre en peu de mots,
et s'oppose à la littérature qui ne sait qu'amplifier
et déguiser. Ces théories — qui n'étaient pas absolument indéfendables — avaient pris chez elle, si
prompte à l'enthousiasme, un tour saugrenu. C'est
ainsi qu'elle avait publié en 1842 dans* La Revue
indépendante *ses* Discours familiers sur la Poésie
des prolétaires *et avait préfacé des vers de mirliton,
parce qu'ils avaient été écrits par des artisans.
Commencer l'émancipation du prolétariat en favo-
risant la publication des poésies de prolétaires
témoignait d'une belle naïveté, et en janvier 1846,
Latouche lui faisait observer cruellement que
«c'était défriser la poésie que d'en attribuer le
mérite exclusif aux maçons, aux cordonniers, aux
coiffeurs».*

*Comme le Berry est une terre où fleurit la poé-
sie, sous la forme d'admirables chansons populaires, que le paysan berrichon a de la sensibilité et
de l'imagination, on pouvait craindre que, cédant à
son dada, la romancière nous présente des paysans
inspirés. Il est bien vrai que dans les romans posté-
rieurs à* La Mare au Diable, *convaincue plus que
jamais de la richesse de l'âme primitive, elle attri-
buera à ses héros paysans des sentiments poétiques,
voire des raisonnements philosophiques.* « Nous
sommes un peu surpris, observe non sans raison
L. Vincent, d'entendre parler ainsi Tiennet, le grand
Bûcheux, la petite Fadette, Joset l'ébervigé ou Bru-
lette. » *Mais il n'en est pas de même dans* La Mare
au Diable : « Le paysan n'y dépasse guère la portée
de son esprit et son admiration pour la terre; c'est
surtout G. Sand qui admire. » *Cette raison suffit à
L. Vincent pour voir dans* La Mare au Diable *le
chef-d'œuvre du roman rustique.*

*La thèse exposée au début du roman apparaît en
effet très nuancée et n'a rien d'une position parti-
sane. G. Sand estime que la servitude, c'est-à-dire
le travail excessif, est* « exclusif des fonctions de
l'âme ». *Le laboureur ne peut pas être un artiste, et
ce, parce qu'il ne comprend pas le mystère du
beau; ou plutôt, s'il est capable de rêver, il n'est
pas capable de réfléchir.* « Il manque à cet homme
une partie des jouissances que je possède. » *C'est
que lui fait défaut la connaissance de son sentiment. Un jour viendra où le laboureur pourra être*

aussi un artiste : on voit qu'ici G. Sand se contente de se tourner vers l'avenir. Et sa conception de la poésie pour tous reste limitée au sentiment. Pour elle, l'essentiel est de sentir le beau et non de l'exprimer.

Germain, le héros du roman, est incapable de s'exprimer ; il est celui qui ne peut pas parler. « Que je suis donc à plaindre, s'écrie-t-il, [...] de dire si mal ce que je pense. » L'effet miraculeux de l'amour est précisément de lui délier la langue.

En face du protagoniste masculin, la romancière a campé « l'adorable Marie », en qui elle a mis toutes ses complaisances : espièglerie, sourire, finesse. Une fois de plus « la femme Sand » oppose à l'homme balourd la femme délurée et avisée. Mais c'est une intention beaucoup plus délicate qui explique en définitive cette opposition et cette supériorité. La finesse de Marie tient, non à ce qu'elle est déjà une femme, mais à ce qu'elle est encore une enfant.

La place de l'enfance

Un des charmes les plus purs de l'œuvre est la place accordée à l'enfance. Un humoriste étranger notait que le mot favori des Français était le mot petit. *Il est vrai que dans* La Mare au Diable, *petit revient d'une façon obsédante. Mais sans mièvrerie aucune.*

*C'est l'intervention des enfants qui sauve de la
convention la fin heureuse. La romancière aurait pu
finir sur la réplique de comédie larmoyante : « Ah !
Germain, lui dit-elle en sanglotant, vous n'avez
donc pas deviné que je vous aime ? » La bruyante
irruption des enfants en train de jouer fait de la fin
une explosion de joie, et au petit saint Jean-Baptiste
marchant au flanc des bœufs attelés* correspond
l'enfant caracolant sur un coursier imaginaire.

*La romancière sait quel attrait exerce sur le lec-
teur un récit, quand la scène est présentée selon
l'optique enfantine : avec un plaisir continu le lecteur traduit à mesure ce langage naïf. Le récit de
Petit-Pierre au chapitre XV est un modèle du genre.
Sainte-Beuve note alors, et l'on peut s'en étonner :
« En passant par la bouche de l'enfant, ce récit
s'épure. » On soutiendrait aussi bien que la scène
en devient plus scabreuse.*

*Enfin et surtout, la romancière qui sait que de la
bouche enfantine sort la vérité, accorde à Marie et
au Petit-Pierre le don de la Parole. Avec une justesse exemplaire, Sainte-Beuve note ici : « Quand
l'expression manque, le petit Pierre arrive, et il est
l'expression vivante. »*

*En 1853, G. de Nerval adressa à Maurice Sand
une lettre pour lui demander d'illustrer* Sylvie. *À
propos de son « petit roman » il fait cette observation
que certains jugeront étonnante : « C'est une sorte
d'idylle dont votre illustre mère est un peu cause par
ses bergeries du Berry. J'ai voulu illustrer aussi mon*

Valois. » Aveu précieux, mais qui nous incite avant tout à ne pas aborder sans précaution le problème de l'évocation du Berry dans La Mare au Diable.

Un roman régionaliste : le Berry

Il fut un temps où l'on mesurait l'intérêt, voire la valeur d'un roman régionaliste à son exactitude géographique et documentaire. Ah ! visiter le Valois ou la Vallée Noire en prenant pour guide Sylvie *ou* La Mare au Diable, *quel plaisir délicat ! Nous n'en sommes plus là. Aux mérites de ce réalisme ou de ce régionalisme, nous préférons les droits de l'imagination. Remarque qui tend à ramener à une conception plus juste de la création romanesque et non à mettre en doute l'attachement de la romancière pour le Berry. Le Berry exerçait sur son imagination une fascination totale puisqu'elle s'étendait souverainement dans le temps comme dans l'espace : au charme du paysage se joignait l'attrait de l'histoire et du folklore. Nous savons que G. Sand s'est soigneusement documentée, qu'elle n'a pas sa pareille pour faire son miel des ouvrages à consulter les plus rébarbatifs ; nous savons mieux encore qu'à pied, à cheval, en voiture, seule et en compagnie elle n'a pas cessé d'arpenter la Vallée Noire. Son Berry n'en reste pas moins une création romanesque au même titre que ses personnages.*

L. Vincent dans ses thèses massives, J. Mallion

et P. Salomon dans leurs éditions élégantes ont dit et redit que G. Sand fait vivre des Berrichons authentiques dans un décor authentiquement berrichon. Oui, la peinture paraît exacte. Dans la réalité comme dans la fiction, le paysan de la Vallée Noire est calme ; il est peu apte aux affaires tout en ne dédaignant pas l'argent ; il se méfie de la justice officielle comme de tous les fonctionnaires de l'État ; il est casanier et près de ses sous ; il est probe, loyal, chaste, frugal ; il est superstitieux et pieux tout à la fois ; il conserve des mœurs patriarcales, et, si les femmes sont serves, les enfants sont libres.

Mais lorsqu'on passe en revue les comparses, les personnages secondaires si plaisamment coloriés : le père et la mère Maurice, la Guillette, le père Léonard, la veuve Guérin, les trois prétendants, la vieille sourde, le mauvais fermier, sans oublier la jument la Grise, plutôt qu'à des personnages pris dans la réalité, on pense à une collection de santons.

Et l'exactitude géographique ? Oui, le voyageur qui se rend de la Châtre à Ardentes découvre sur sa droite au-delà de Nohant le hameau de Belair. Puis il peut faire halte sur les hauteurs de Corlay d'où l'on a « la belle vue de la vallée ». À l'ouest de Corlay s'étend le bois de Chanteloube qui dissimule La Mare au Diable. *Germain, ayant retrouvé son chemin, se rend au hameau de Fourche, mais pour entendre la messe, il doit aller au village plus important de Mers. Tout cela est parfaitement exact. Cependant, de même que dans* Sylvie, *il n'est pas* question de Mortefontaine mais de Loisy, ici, il n'est pas question de Nohant mais de Belair. Les commentateurs observent qu'à partir du moment où les héros quittent la route pour s'engager dans la Brande, l'itinéraire devient moins précis, et même, quand Germain et Marie se séparent, que la topographie du roman ne correspond plus à la réalité. Les Ormeaux où se rend Marie se situent près de la Châtre. G. Sand avait d'abord écrit le Magnier. Sciemment elle commet une erreur topographique et remplace le Magnier par les Ormeaux.

C'est que tout est subordonné, non pas à la fidélité au modèle extérieur, mais à la fidélité à une certaine image intérieure, et à la tonalité propre au sujet. Entre le langage, les vêtements, les noms, les usages, les paysages se nouent de subtils rapports. Dans un immense éventaire la romancière a fait son choix. Aujourd'hui le commentateur se passionne pour le dosage des éléments opéré par le créateur, lorsque celui-ci fait d'un paysage choisi sa secrète correspondance.

Du point de vue de l'imaginaire, l'introduction grandiose se caractérise par la volonté d'unir les contraires, après le contraste si fortement marqué entre la scène ancienne et la scène moderne. Le chapitre Le Labour insiste sur l'union de la force et de la grâce dans le travail rustique : « Malgré cette lutte puissante, où la terre était vaincue, il y avait un sentiment de douceur et de calme profond qui planait sur toutes choses. » C'est un chant, le chant

du « briolage » qui est destiné à traduire et à célébrer cette union, et tout naturellement G. Sand
qualifie ce chant de doux et de puissant, recourant
à la même alliance de mots que Baudelaire pour
définir les chats, et Bernanos les saints.

En revanche, l'idylle en se développant montre
la romancière à la recherche d'effets ambigus.

La Mare au Diable : lieu maudit ?

On ne saurait négliger le titre : La Mare au
Diable. *G. Sand, qui préfère donner pour titre à ses
romans un nom de personne, a choisi dans ce cas-
ci un nom de lieu. Sur sa lancée, en 1846, elle donnera comme premier titre au* Picinino, Le Val des
Démons, *en le calquant sur le nôtre. En 1851, elle
écrit* Le Diable aux champs *qu'elle gardera longtemps dans ses tiroirs (on ne sait pas assez que
dans ce roman dialogué nous retrouvons Germain
et Pierre, mais transformés par le temps). Dès
1844, Maurice Sand avait fait un dessin de la mare
conservé aujourd'hui au musée Carnavalet. Si la
mare n'existe plus sous son aspect primitif, elle
n'en subsiste pas moins telle que le génie de la
romancière l'a imaginée. Encore qu'elle tienne peu
de place dans le roman, le rôle qui lui est attribué
n'en est pas moins essentiel, car elle est de ces
lieux où souffle l'angoisse, et c'est en son voisinage
que se déroulent les épisodes principaux : c'est
pourquoi ces épisodes se présentent à la fois sous*

le signe du feu et sous le signe de l'eau ; la marche dans la nuit devient une ronde infernale comme dans Sous le soleil de Satan *de Bernanos ; la petite Marie au nom virginal apparaît dans la clarté nocturne comme une petite sorcière de nuit aux yeux de chat ; et le dialogue de sourds lors de la rencontre avec la vieille n'aboutit pas à un effet comique : « N'avez-vous pas vu passer dans le bois une fille et un enfant ? — Oui, dit la vieille, il s'est noyé un petit enfant ! » Ainsi l'effet produit par l'idylle est foncièrement ambigu.*

Mais pourquoi toutes ces diableries ? S'il est vrai que le mélange de catholicisme et de superstition est un trait distinctif de l'âme berrichonne, il importe davantage de marquer ici l'attrait trouble de G. Sand pour cette atmosphère inquiétante. Nous comprenons mieux son choix si nous rapprochons le texte du roman de la Quatrième lettre d'un voyageur *où elle dit avec une émotion contagieuse son épouvante lorsque sous « les ténébreux ombrages » elle se sent devenir spectre.*

*Tout achève de s'éclairer quand nous découvrons dans l'*Histoire de ma vie *le récit hallucinant de son errance nocturne dans la Brande, alors qu'elle était une enfant de sept ans (voir ce texte dans la Notice, p. 217). C'est dans les souvenirs d'enfance, ici un souvenir d'épouvante, que le roman prend sa source et d'eux qu'il tire son pouvoir d'émotion. Le chant des grenouilles n'y fait pas figure « d'air à la lune » comme dans la lettre à Zoé Leroy, ou de « mysté-*

rieuse psalmodie » comme dans Jeanne. *Il rappelle la nuit fantastique où les grenouilles poussaient une clameur telle qu'elle finissait par couvrir l'appel des égarés.*

Cette histoire affreuse de voyageurs perdus qu'elle a déjà utilisée dans Le Compagnon du tour de France *et* Le Meunier d'Angibault *trouve ici son expression parfaite, associée qu'elle est à l'image suave de la petite Marie, qui est l'âme de ce pays de rêve et l'emblème de l'enfance éternelle.*

Du côté de Germain, le protagoniste du roman, la structure du récit tend à transformer la nuit maudite en une nuit d'épreuves, l'errance en un itinéraire spirituel. Germain triomphe de la tentation née dans le lieu maléfique, et la bagarre avec le mauvais fermier ne fait qu'extérioriser, en la redoublant, la lutte intérieure. Malgré son hostilité au cléricalisme, la romancière a donné à la piété de Germain une pureté rare. Sa «rêverie pieuse» ne relève pas de la superstition qu'il manifeste à d'autres moments, et quel romancier catholique a imaginé scène plus émouvante que la prière du matin de Germain au lendemain de ses noces, «à genoux dans le sillon», et les larmes mêlées à la sueur? Le combat spirituel échappe donc à la banalité, et, réflexion faite, on finit par y déceler l'ambiguïté la plus profonde. Car enfin la Mare au Diable, lieu maudit, est le lieu béni où l'amour va naître, comme s'il fallait descendre aux enfers pour découvrir l'authentique amour.

La voix de la Joie

L'appendice, destiné à grossir une nouvelle trop mince, mérite de retenir l'attention, non seulement de l'amateur de folklore, mais de tous ceux qui prisent un art nuancé.

L'appendice autorisant les digressions, G. Sand se laisse aller au plaisir d'écouter, en se penchant sur son enfance, des bruits insolites et mystérieux : la folie des chiens endêvés pendant les soirs de septembre, et, puisque tout ce qui nous charme a la couleur des nuits, le passage nocturne des grues émigrantes. Médusée par ces cris dans l'ombre, elle définit la caravane des oiseaux en une formule admirable : cette nuée sanglotante. Pour écrire de tels morceaux, Latouche, éperdu d'admiration — mais c'est le poète qui parle et non le Berrichon — se dit prêt à offrir les derniers jours qui lui restent.

C'est une ambiguïté d'une autre sorte qui fait le prix des Noces *de* campagne. *Dans la note de l'éditeur comme dans le texte, les adjectifs dont elle use sont significatifs :* bizarres, curieux. *Que, prise de passion pour l'érudition, elle s'excite sur l'origine gauloise de ces us et coutumes, nous ne nous y attacherons pas, car cette érudition permet au poète de s'enchanter de la présence du passé, et comme cette présence se manifeste surtout par la survivance dans un monde chrétien du paganisme, de se complaire dans un climat très différent de l'atmosphère fantastique de la nuit près de la mare. À la façon des narrateurs paysans, elle se propose à la fois de faire peur et de faire rire. On ne saurait mieux qualifier l'étrange scénario qu'en reprenant les termes qu'elle applique à la vie du meneur de jeu, le fossoyeur épileptique qui, plus que le chanvreur, fait figure de maître de cérémonie : « un mélange de choses lugubres et folles, terribles et riantes ».*

Le bouquet de la fête est constitué par l'arrachage et l'ascension du chou, symbole phallique impudent, qui au dénouement fait de l'idylle une étonnante priapée. Le Berry est devenu, non la chapelle de feuillage où posera et reposera pour la postérité la bonne dame de Nohant, mais un décor de saturnales où triomphent Flore et Priape singulièrement incarnés en cette femme de lettres qui s'était affublée d'un prénom masculin. Sainte-Beuve, qui lisait si bien en elle, disait en son jargon : « Mme Sand, même quand elle se complaît à des images douces, a en elle le puissant et le plantureux. Quoi qu'elle fasse, même dans les touches gracieuses, on sent une nature riche et drue *comme on disait en ce vieux langage. »*

La romancière n'a pas voulu cependant laisser le lecteur sur cette vision de saturnale. Après la Fête, la vie quotidienne reprend. Mais par-delà la Fête se perpétue la Joie. « Tout était riant et serein pour lui dans la nature. » « Tout est lumière, tout est joie », écrit Hugo dans la même intention. G. Sand, à la manière hugolienne, mêle avec un art exquis dans la douceur du jour nouveau les chansons et la prière.

Telle est cette œuvre : sous un volume si mince se cachaient donc tant de richesses ! On considère en général Les Maîtres sonneurs *comme le meilleur des romans champêtres ; mais* La Mare au Diable *garde en sa brièveté un charme inégalé, parce que la romancière en une heure de grâce a su accorder la voix de la Terre et la voix de l'Âme enfantine.*

Pour définir cette réussite, nous ne sommes guère tentés de prôner l'idéalisme de G. Sand, de célébrer la simplicité géniale de son dessein, ou l'exactitude de la peinture du Berry, de la louer d'avoir écrit les Géorgiques *de sa province.*

Mais il nous paraît naturel de réagir comme Proust le fît à la lecture de Sylvie. *Que l'on relève l'emploi du mot* rêve — *dans la notice d'abord :* «Je l'ai dit, et dois le répéter ici, le rêve de la vie champêtre a été de tout temps l'idéal des villes et même celui des cours. Je n'ai rien fait de neuf en suivant la pente qui ramène l'homme civilisé aux charmes de la vie primitive.»

Dans le roman ensuite : «Il fallait oublier cette nuit d'agitations comme un rêve dangereux», *mais aussi :* «Germain parlait comme dans un rêve sans entendre ce qu'il disait», *et l'on conclura à la façon de Proust :* «Cette histoire que vous appelez une peinture naïve, c'est le rêve d'un rêve... C'est quelque chose de vague et d'obsédant comme le souvenir.»

Léon Cellier.

La Mare au Diable

Quand j'ai commencé, par *La Mare au Diable*, une série de romans champêtres, que je me proposais de réunir sous le titre de *Veillées du Chanvreur*, je n'ai eu aucun système, aucune prétention révolutionnaire en littérature. Personne ne fait une révolution à soi tout seul, et il en est, surtout dans les arts, que l'humanité accomplit sans trop savoir comment, parce que c'est tout le monde qui s'en charge. Mais ceci n'est pas applicable au roman de mœurs rustiques : il a existé de tout temps et sous toutes les formes, tantôt pompeuses, tantôt maniérées, tantôt naïves. Je l'ai dit, et dois le répéter ici, le rêve de la vie champêtre a été de tout temps l'idéal des villes et même celui des cours. Je n'ai rien fait de neuf en suivant la pente qui ramène l'homme civilisé aux charmes de la vie primitive. Je n'ai voulu ni faire une nouvelle langue, ni me chercher une nouvelle manière. On me l'a cependant affirmé dans bon nombre de feuilletons, mais je sais mieux que personne à quoi m'en tenir sur mes propres desseins, et je m'étonne toujours que la critique en cherche si long, quand l'idée la plus simple, la circonstance la plus vulgaire, sont les seules inspirations auxquelles les productions de l'art doivent l'être. Pour *La Mare au Diable* en particulier, le fait que j'ai rapporté dans l'avant-propos, une gravure d'Holbein, qui m'avait frappé, une scène réelle que j'eus sous les yeux dans le même moment, au temps des semailles, voilà tout ce qui m'a poussé à écrire cette histoire modeste, placée au milieu des humbles paysages que je parcourais chaque jour. Si on me demande ce que j'ai voulu faire, je répondrai que j'ai voulu faire une chose très touchante et très simple, et que je n'ai pas réussi à mon gré. J'ai bien vu, j'ai bien senti le beau dans le simple, mais voir et peindre sont deux ! Tout ce que l'artiste peut espérer de mieux, c'est d'engager ceux qui ont des yeux à regarder aussi. Voyez donc la simplicité, vous autres, voyez le ciel et les champs, et les arbres, et les paysans surtout dans ce qu'ils ont de bon et de vrai : vous les verrez un peu dans mon livre, vous les verrez beaucoup mieux dans la nature.

George Sand.
Nohant, 12 avril 1851.

I

L'AUTEUR AU LECTEUR

À la sueur de ton visaige
Tu gagnerois ta pauvre vie,
Après long travail et usaige,
Voicy la mort *qui te convie.*

Le quatrain en vieux français, placé au-dessous
d'une composition d'Holbein, est d'une tristesse
profonde dans sa naïveté. La gravure représente un
laboureur conduisant sa charrue au milieu d'un
champ. Une vaste campagne s'étend au loin, on y
voit de pauvres cabanes ; le soleil se couche derrière
la colline. C'est la fin d'une rude journée de travail.
Le paysan est vieux, trapu, couvert de haillons.
L'attelage de quatre chevaux qu'il pousse en avant
est maigre, exténué ; le soc s'enfonce dans un fonds
raboteux et rebelle. Un seul être est allègre et
ingambe dans cette scène de *sueur et usaige.* C'est
un personnage fantastique, un squelette armé d'un
fouet, qui court dans le sillon à côté des chevaux
effrayés et les frappe, servant ainsi de valet de charrue au vieux laboureur. C'est la mort, ce spectre

qu'Holbein a introduit allégoriquement dans la suc-
cession de sujets philosophiques et religieux, à la
fois lugubres et bouffons, intitulée les *Simulachres
de la mort*[1].

Dans cette collection, ou plutôt dans cette vaste
composition où la mort, jouant son rôle à toutes les
pages, est le lien et la pensée dominante, Holbein a
fait comparaître les souverains, les pontifes, les
amants, les joueurs, les ivrognes, les nonnes, les
courtisanes, les brigands, les pauvres, les guerriers,
les moines, les juifs, les voyageurs, tout le monde
de son temps et du nôtre, et partout le spectre de la
mort raille, menace et triomphe. D'un seul tableau
elle est absente. C'est celui où le pauvre Lazare,
couché sur un fumier à la porte du riche, déclare
qu'il ne la craint pas, sans doute parce qu'il n'a rien
à perdre et que sa vie est une mort anticipée.

Cette pensée stoïcienne du christianisme demi-
païen de la Renaissance est-elle bien consolante, et
les âmes religieuses y trouvent-elles leur compte ?
L'ambitieux, le fourbe, le tyran, le débauché, tous
ces pécheurs superbes qui abusent de la vie, et que
la mort tient par les cheveux vont être punis, sans
doute ; mais l'aveugle, le mendiant, le fou, le pauvre
paysan, sont-ils dédommagés de leur longue misère
par la seule réflexion que la mort n'est pas un mal
pour eux ? Non ! Une tristesse implacable, une
effroyable fatalité pèse sur l'œuvre de l'artiste. Cela

---

1. Sur le peintre Holbein et sa gravure, voir la Notice, p. 226.

ressemble à une malédiction amère lancée sur le
sort de l'humanité.

C'est bien là la satire douloureuse, la peinture
vraie de la société qu'Holbein avait sous les yeux.
Crime et malheur, voilà ce qui le frappait ; mais
nous, artistes d'un autre siècle, que peindrons-
nous ? Chercherons-nous dans la pensée de la mort
la rémunération de l'humanité présente ? l'invoque-
rons-nous comme le châtiment de l'injustice et le
dédommagement de la souffrance ?

Non, nous n'avons plus affaire à la mort, mais à la
vie. Nous ne croyons plus ni au néant de la tombe, ni
au salut acheté par un renoncement forcé[1] ; nous
voulons que la vie soit bonne, parce que nous voulons qu'elle soit féconde. Il faut que Lazare quitte
son fumier, afin que le pauvre ne se réjouisse plus de
la mort du riche. Il faut que tous soient heureux, afin
que le bonheur de quelques-uns ne soit pas criminel
et maudit de Dieu. Il faut que le laboureur, en
semant son blé, sache qu'il travaille à l'œuvre de
vie, et non qu'il se réjouisse de ce que la mort
marche à ses côtés. Il faut enfin que la mort ne soit
plus ni le châtiment de la prospérité, ni la consola-
tion de la détresse. Dieu ne l'a destinée ni à punir, ni
à dédommager de la vie, car il a béni la vie, et la

---

1. Voici un exemple des corrections de Leroux. Texte de
G. Sand : « Nous ne croyons plus ni au néant de la tombe, ni au
salut acheté par un renoncement forcé. » Texte de Leroux : « Nous
ne croyons plus ni aux peines de l'enfer, ni au paradis acheté par un
renoncement forcé. »

tombe ne doit pas être un refuge où il soit permis d'envoyer ceux qu'on ne veut pas rendre heureux.

Certains artistes de notre temps, jetant un regard sérieux sur ce qui les entoure, s'attachent à peindre la douleur, l'abjection de la misère, le fumier de Lazare[1]. Ceci peut être du domaine de l'art et de la philosophie ; mais, en peignant la misère si laide, si avilie, parfois si vicieuse et si criminelle, leur but est-il atteint, et l'effet en est-il salutaire, comme ils le voudraient ? Nous n'osons pas nous prononcer là-dessus. On peut nous dire qu'en montrant ce gouffre creusé sous le sol fragile de l'opulence, ils effraient le mauvais riche, comme, au temps de la *danse macabre*, on lui montrait sa fosse béante et la mort prête à l'enlacer dans ses bras immondes. Aujourd'hui on lui montre le bandit crochetant sa porte et l'assassin guettant son sommeil. Nous confessons que nous ne comprenons pas trop comment on le réconciliera avec l'humanité qu'il méprise, comment on le rendra sensible aux douleurs du pauvre qu'il redoute, en lui montrant ce pauvre sous la forme du forçat évadé et du rôdeur de nuit. L'affreuse mort, grinçant des dents et jouant du violon dans les images d'Holbein et de ses devanciers, n'a

1. Il y a deux Lazare dans l'Évangile, celui que Jésus ressuscite et le Pauvre qui est le héros de la parabole du Mauvais riche (Luc, XVI, 19-31). C'est du second qu'il est question ici. Il semble que dans l'esprit de G. Sand se superposent l'image traditionnelle de Job et celle de Lazare. « Je suis pauvre comme Job », dira Marie au chapitre X. « Le fumier de Lazare » rappelle inversement Job sur son fumier.

pas trouvé moyen, sous cet aspect, de convertir les pervers et de consoler les victimes. Est-ce que notre littérature ne procéderait pas un peu en ceci comme les artistes du moyen âge et de la Renaissance ?

Les buveurs d'Holbein remplissent leurs coupes avec une sorte de fureur pour écarter l'idée de la mort, qui, invisible pour eux, leur sert d'échanson. Les mauvais riches aujourd'hui demandent des fortifications et des canons pour écarter l'idée d'une jacquerie, que l'art leur montre travaillant dans l'ombre, en détail, en attendant le moment de fondre sur l'état social. L'Église du moyen âge répondait aux terreurs des puissants de la terre par la vente des indulgences. Le gouvernement d'aujourd'hui calme l'inquiétude des riches en leur faisant payer beaucoup de gendarmes et de geôliers, de baïonnettes et de prisons.

Albert Dürer, Michel-Ange, Holbein, Callot, Goya[1], ont fait de puissantes satires des maux de leur siècle et de leur pays. Ce sont des œuvres immortelles, des pages historiques d'une valeur incontestable, nous ne voulons pas dénier aux artistes le droit de sonder les plaies de la société et de les mettre à nu sous nos yeux ; mais n'y a-t-il pas autre chose à faire maintenant que la peinture d'épouvante et de menace ? Dans cette littérature de mystères d'ini-

---

1. Dürer est mentionné pour les *Scènes de l'Apocalypse* ; Michel-Ange, pour le *Jugement dernier* ; Callot, pour les *Misères de la guerre* ; Goya pour les *Désastres de la guerre*.

quité, que le talent et l'imagination ont mise à la mode, nous aimons mieux les figures douces et suaves que les scélérats à effet dramatique. Celles-là peuvent entreprendre et amener des conversions, les autres font peur, et la peur ne guérit pas l'égoïsme, elle l'augmente.

Nous croyons que la mission de l'art est une mission de sentiment et d'amour, que le roman d'aujourd'hui devrait remplacer la parabole et l'apologue des temps naïfs, et que l'artiste a une tâche plus large et plus poétique que celle de proposer quelques mesures de prudence et de conciliation pour atténuer l'effroi qu'inspirent ses peintures. Son but devrait être de faire aimer les objets de sa sollicitude, et au besoin, je ne lui ferais pas un reproche de les embellir un peu. L'art n'est pas une étude de la réalité positive ; c'est une recherche de la vérité idéale, et *Le Vicaire de Wakefield* fut un livre plus utile et plus sain à l'âme que *Le Paysan perverti* et *Les Liaisons dangereuses*[1].

Lecteur, pardonnez-moi ces réflexions, et veuillez les accepter en manière de préface. Il n'y en aura point dans l'historiette que je vais vous raconter, et elle sera si courte et si simple que j'avais besoin de m'en excuser d'avance, en vous disant ce que je pense des histoires terribles.

---

1. *Le Vicaire de Wakefield* (1766), roman édifiant, de l'Anglais Goldsmith, est opposé aux deux romans français qui passent pour licencieux, *Le Paysan perverti* (1775) de Restif de la Bretonne et *Les Liaisons dangereuses* (1782) de Laclos.

C'est à propos d'un laboureur que je me suis laissé entraîner à cette digression. C'est l'histoire d'un laboureur précisément que j'avais l'intention de vous dire et que je vous dirai tout à l'heure.

II

LE LABOUR

Je venais de regarder longtemps et avec une profonde mélancolie le laboureur d'Holbein, et je me promenais dans la campagne, rêvant à la vie des champs et à la destinée du cultivateur. Sans doute il est lugubre de consumer ses forces et ses jours à fendre le sein de cette terre jalouse, qui se fait arracher les trésors de sa fécondité, lorsqu'un morceau de pain le plus noir et le plus grossier est, à la fin de la journée, l'unique récompense et l'unique profit attachés à un si dur labeur. Ces richesses qui couvrent le sol, ces moissons, ces fruits, ces bestiaux orgueilleux qui s'engraissent dans les longues herbes, sont la propriété de quelques-uns et les instruments de la fatigue et de l'esclavage du plus grand nombre. L'homme de loisir n'aime en général pour eux-mêmes, ni les champs, ni les prairies, ni le spectacle de la nature, ni les animaux superbes qui doivent se convertir en pièces d'or pour son usage. L'homme de loisir vient chercher un peu d'air et de santé dans le séjour de la campagne, puis il retourne dépenser dans les grandes villes le fruit du travail de ses vassaux.

De son côté, l'homme de travail est trop accablé, trop malheureux, et trop effrayé de l'avenir, pour jouir de la beauté des campagnes et des charmes de la vie rustique. Pour lui aussi les champs dorés, les belles prairies, les animaux superbes, représentent des sacs d'écus dont il n'aura qu'une faible part, insuffisante à ses besoins, et que, pourtant, il faut remplir, chaque année, ces sacs maudits, pour satisfaire le maître et payer le droit de vivre parcimonieusement et misérablement sur son domaine.

Et pourtant, la nature est éternellement jeune, belle et généreuse. Elle verse la poésie et la beauté à tous les êtres, à toutes les plantes, qu'on laisse s'y développer à souhait. Elle possède le secret du bonheur et nul n'a su le lui ravir. Le plus heureux des hommes serait celui qui, possédant la science de son labeur, et travaillant de ses mains, puisant le bien-être et la liberté dans l'exercice de sa force intelligente, aurait le temps de vivre par le cœur et par le cerveau, de comprendre son œuvre et d'aimer celle de Dieu. L'artiste a des jouissances de ce genre, dans la contemplation et la reproduction des beautés de la nature ; mais, en voyant la douleur des hommes qui peuplent ce paradis de la terre, l'artiste au cœur droit et humain est troublé au milieu de sa jouissance. Le bonheur serait là où l'esprit, le cœur et les bras, travaillant de concert sous l'œil de la Providence, une sainte harmonie existerait entre la munificence de Dieu et les ravissements de l'âme humaine. C'est alors qu'au lieu de la piteuse et affreuse mort, marchant dans son sillon, le fouet à la main, le peintre d'allégories pourrait placer à ses côtés un ange radieux, semant à pleines mains le blé béni sur le sillon fumant.

Et le rêve d'une existence douce, libre, poétique, laborieuse et simple pour l'homme des champs, n'est pas si difficile à concevoir qu'on doive le reléguer parmi les chimères. Le mot triste et doux de Virgile : « Ô heureux l'homme des champs s'il connaissait son bonheur ![1] » est un regret ; mais, comme tous les regrets, c'est aussi une prédiction. Un jour viendra où le laboureur pourra être aussi un artiste, sinon pour exprimer (ce qui importera assez peu alors), du moins pour sentir le beau. Croit-on que cette mystérieuse intuition de la poésie ne soit pas en lui déjà à l'état d'instinct et de vague rêverie ? Chez ceux qu'un peu d'aisance protège dès aujourd'hui, et chez qui l'excès du malheur n'étouffe pas tout développement moral et intellectuel, le bonheur pur, senti et apprécié est à l'état élémentaire ; et, d'ailleurs, si du sein de la douleur et de la fatigue, des voix de poètes se sont déjà élevées, pourquoi dirait-on que le travail des bras est exclusif des fonctions de l'âme ? Sans doute cette exclusion est le résultat général d'un travail excessif et d'une misère profonde ; mais qu'on ne dise pas que quand l'homme travaillera modérément et utilement, il n'y aura plus que de mauvais ouvriers et de mau-

1. Voir note 1, p. 46.

vais poètes. Celui qui puise de nobles jouissances
dans le sentiment de la poésie est un vrai poète,
n'eût-il pas fait un vers dans toute sa vie.

Mes pensées avaient pris ce cours, et je ne m'aper-
cevais pas que cette confiance dans l'éducabilité de
l'homme était fortifiée en moi par des influences
extérieures. Je marchais sur la lisière d'un champ
que des paysans étaient en train de préparer pour la
semaille prochaine. L'arène était vaste comme celle
du tableau d'Holbein. Le paysage était vaste aussi et
encadrait de grandes lignes de verdure, un peu rougie
aux approches de l'automne, ce large terrain d'un
brun vigoureux, où des pluies récentes avaient
laissé, dans quelques sillons, des lignes d'eau que le
soleil faisait briller comme de minces filets d'argent. La journée était claire et tiède, et la terre, fraîchement ouverte par le tranchant des charrues,
exhalait une vapeur légère. Dans le haut du champ
un vieillard, dont le dos large et la figure sévère rap-
pelaient celui d'Holbein, mais dont les vêtements
n'annonçaient pas la misère, poussait gravement
son *areau*[1] de forme antique, traîné par deux bœufs
tranquilles, à la robe d'un jaune pâle, véritables
patriarches de la prairie, hauts de taille, un peu
maigres, les cornes longues et rabattues, de ces
vieux travailleurs qu'une longue habitude a rendus
frères, comme on les appelle dans nos campagnes, et
qui, privés l'un de l'autre, se refusent au travail avec

1. *Areau* : charrue.

un nouveau compagnon et se laissent mourir de chagrin. Les gens qui ne connaissent pas la campagne
taxent de fable l'amitié du bœuf pour son camarade
d'attelage. Qu'ils viennent voir au fond de l'étable
un pauvre animal maigre, exténué, battant de sa
queue inquiète ses flancs décharnés, soufflant avec
effroi et dédain sur la nourriture qu'on lui présente,
les yeux toujours tournés vers la porte, en grattant du
pied la place vide à ses côtés, flairant les jougs et les
chaînes que son compagnon a portés, et l'appelant
sans cesse avec de déplorables mugissements. Le
bouvier dira : «C'est une paire de bœufs perdue ;
son frère est mort, et celui-là ne travaillera plus. Il
faudrait pouvoir l'engraisser pour l'abattre ; mais il
ne veut pas manger, et bientôt il sera mort de faim. »

Le vieux laboureur travaillait lentement, en
silence, sans efforts inutiles. Son docile attelage ne
se pressait pas plus que lui ; mais, grâce à la conti-
nuité d'un labeur sans distraction et d'une dépense
de forces éprouvées et soutenues, son sillon était
aussi vite creusé que celui de son fils, qui menait, à
quelque distance, quatre bœufs moins robustes,
dans une veine de terres plus fortes et plus pier-
reuses.

Mais ce qui attira ensuite mon attention était véri-
tablement un beau spectacle, un noble sujet pour un
peintre. À l'autre extrémité de la plaine labourable,
un jeune homme de bonne mine conduisait un attelage magnifique : quatre paires de jeunes animaux à
robe sombre mêlée de noir fauve à reflets de feu,

avec ces têtes courtes et frisées qui sentent encore
le taureau sauvage, ces gros yeux farouches, ces
mouvements brusques, ce travail nerveux et saccadé qui s'irrite encore du joug et de l'aiguillon et
n'obéit qu'en frémissant de colère à la domination
nouvellement imposée. C'est ce qu'on appelle des
bœufs fraîchement liés. L'homme qui les gouvernait avait à défricher un coin naguère abandonné au
pâturage et rempli de souches séculaires, travail
d'athlète auquel suffisaient à peine son énergie, sa
jeunesse et ses huit animaux quasi indomptés.

   Un enfant de six à sept ans, beau comme un ange,
et les épaules couvertes, sur sa blouse, d'une peau
d'agneau qui le faisait ressembler au petit saint
Jean-Baptiste des peintres de la Renaissance[1], marchait dans le sillon parallèle à la charrue et piquait
le flanc des bœufs avec une gaule longue et légère,
armée d'un aiguillon peu acéré. Les fiers animaux
frémissaient sous la petite main de l'enfant, et faisaient grincer les jougs et les courroies liés à leur
front, en imprimant au timon de violentes secousses.
Lorsqu'une racine arrêtait le soc, le laboureur criait
d'une voix puissante, appelant chaque bête par son
nom, mais plutôt pour calmer que pour exciter ; car
les bœufs, irrités par cette brusque résistance, bon-

---

   1. Dans de nombreux tableaux de la Renaissance, le « petit saint
Jean-Baptiste » (déjà revêtu de la peau de mouton qu'il portera lorsqu'il prêchera dans le désert) est donné comme compagnon à l'enfant Jésus, son cousin. Botticelli, Léonard de Vinci, Raphaël,
Murillo ont fait la célébrité de ce motif.

dissaient, creusaient la terre de leurs larges pieds
fourchus, et se seraient jetés de côté emportant
l'areau à travers champs, si, de la voix et de l'aiguillon, le jeune homme n'eût maintenu les quatre
premiers, tandis que l'enfant gouvernait les quatre
autres. Il criait aussi, le pauvret, d'une voix qu'il
voulait rendre terrible et qui restait douce comme sa
figure angélique. Tout cela était beau de force ou de
grâce : le paysage, l'homme, l'enfant, les taureaux
sous le joug ; et, malgré cette lutte puissante où la
terre était vaincue, il y avait un sentiment de douceur
et de calme profond qui planait sur toutes choses.
Quand l'obstacle était surmonté et que l'attelage
reprenait sa marche égale et solennelle, le laboureur,
dont la feinte violence n'était qu'un exercice de
vigueur et une dépense d'activité, reprenait tout à
coup la sérénité des âmes simples et jetait un regard
de contentement paternel sur son enfant, qui se
retournait pour lui sourire. Puis la voix mâle de ce
jeune père de famille entonnait le chant solennel et
mélancolique que l'antique tradition du pays transmet, non à tous les laboureurs indistinctement, mais
aux plus consommés dans l'art d'exciter et de soutenir l'ardeur des bœufs de travail[1]. Ce chant, dont

---

1. En 1867, la vieille dame de Nohant déplore dans une lettre la
disparition des danses et des chants populaires : « La bourrée, cette
danse si jolie, est remplacée par de stupides contredanses ; nos chants
du pays, admirables autrefois, et qui faisaient l'admiration de Chopin
et de Pauline Garcia cèdent le pas à la Femme à barbe. » Chopin et
surtout Pauline Viardot (née Garcia) avaient transcrit ces airs. Celle-
ci a fourni à Tiersot les versions complètes des chansons qu'elle avait

l'origine fut peut-être considérée comme sacrée, et
auquel de mystérieuses influences ont dû être attri-
buées jadis, est réputé encore aujourd'hui posséder
la vertu d'entretenir le courage de ces animaux,
d'apaiser leurs mécontentements et de charmer
l'ennui de leur longue besogne. Il ne suffit pas de
savoir bien les conduire en traçant un sillon parfaitement rectiligne, de leur alléger la peine en soule-
vant ou enfonçant à point le fer dans la terre : on
n'est point un parfait laboureur si on ne sait chanter
aux bœufs, et c'est là une science à part qui exige
un goût et des moyens particuliers.

Ce chant n'est, à vrai dire, qu'une sorte de réci-
tatif interrompu et repris à volonté. Sa forme irré-
gulière et ses intonations fausses selon les règles de
l'art musical le rendent intraduisible. Mais ce n'en
est pas moins un beau chant, et tellement approprié
à la nature du travail qu'il accompagne, à l'allure du
bœuf, au calme des lieux agrestes, à la simplicité
des hommes qui le disent, qu'aucun génie étranger
au travail de la terre ne l'eût inventé, et qu'aucun
chanteur autre qu'un *fin laboureur* de cette contrée
ne saurait le redire. Aux époques de l'année où il
n'y a pas d'autre travail et d'autre mouvement dans
la campagne que celui du labourage, ce chant si
doux et si puissant monte comme une voix de la
brise, à laquelle sa tonalité particulière donne une

---

notées dans le Berry (voir sur le « briolage » l'ouvrage de Tiersot : *La
Chanson populaire et les écrivains romantiques*, p. 215-236).

certaine ressemblance. La note finale de chaque phrase, tenue et tremblée avec une longueur et une puissance d'haleine incroyable, monte d'un quart de ton en faussant systématiquement. Cela est sauvage, mais le charme en est indicible, et quand on s'est habitué à l'entendre, on ne conçoit pas qu'un autre chant pût s'élever à ces heures et dans ces lieux-là, sans en déranger l'harmonie.

Il se trouvait donc que j'avais sous les yeux un tableau qui contrastait avec celui d'Holbein, quoique ce fût une scène pareille. Au lieu d'un triste vieillard, un homme jeune et dispos ; au lieu d'un attelage de chevaux efflanqués et harassés, un double quadrige de bœufs robustes et ardents ; au lieu de la mort, un bel enfant ; au lieu d'une image de désespoir et d'une idée de destruction, un spectacle d'énergie et une pensée de bonheur.

C'est alors que le quatrain français :

> *À la sueur de ton visaige, etc.*

et le *O fortunatos... agricolas* de Virgile[1] me revinrent ensemble à l'esprit, et qu'en voyant ce couple si beau, l'homme et l'enfant, accomplir dans des conditions si poétiques, et avec tant de grâce unie à

---

1. Le passage fameux des *Géorgiques*, « O fortunatos nimium, sua si bona norint, Agricolas », est mentionné deux fois, d'abord en français p. 40, puis ici en latin. C'est encore aux *Géorgiques* (III, v. 517-518) que G. Sand avait emprunté p. 42 le thème du bœuf qui, privé de son compagnon, se laisse mourir de faim.

la force, un travail plein de grandeur et de solennité, je sentis une pitié profonde mêlée à un regret involontaire. Heureux le laboureur ! oui, sans doute, je le serais à sa place, si mon bras, devenu tout d'un coup robuste, et ma poitrine devenue puissante, pouvaient ainsi féconder et chanter la nature, sans que mes yeux cessassent de voir et mon cerveau de comprendre l'harmonie des couleurs et des sons, la finesse des tons et la grâce des contours, en un mot la beauté mystérieuse des choses ! et surtout sans que mon cœur cessât d'être en relation avec le sentiment divin qui a présidé à la création immortelle et sublime.

Mais, hélas ! cet homme n'a jamais compris le mystère du beau, cet enfant ne le comprendra jamais !... Dieu me préserve de croire qu'ils ne soient pas supérieurs aux animaux qu'ils dominent, et qu'ils n'aient pas par instants une sorte de révélation extatique qui charme leur fatigue et endort leurs soucis ! Je vois sur leurs nobles fronts le sceau du Seigneur, car ils sont nés rois de la terre bien mieux que ceux qui la possèdent pour l'avoir payée. Et la preuve qu'ils le sentent, c'est qu'on ne les dépayserait pas impunément, c'est qu'ils aiment ce sol arrosé de leurs sueurs, c'est que le vrai paysan meurt de nostalgie sous le harnais du soldat, loin du champ qui l'a vu naître. Mais il manque à cet homme une partie des jouissances que je possède, jouissances immatérielles qui lui seraient bien dues, à lui, l'ouvrier du vaste temple que le ciel est assez vaste pour embrasser. Il lui manque la

connaissance de son sentiment. Ceux qui l'ont
condamné à la servitude dès le ventre de sa mère, ne
pouvant lui ôter la rêverie, lui ont ôté la réflexion.

Eh bien! tel qu'il est, incomplet et condamné à
une éternelle enfance, il est encore plus beau que
celui chez qui la science a étouffé le sentiment. Ne
vous élevez pas au-dessus de lui, vous autres qui
vous croyez investis du droit légitime et imprescrip-
tible de lui commander, car cette erreur effroyable
où vous êtes prouve que votre esprit a tué votre
cœur, et que vous êtes les plus incomplets et les plus
aveugles des hommes!... J'aime encore mieux
cette simplicité de son âme que les fausses lumières
de la vôtre; et si j'avais à raconter sa vie, j'aurais
plus de plaisir à en faire ressortir les côtés doux et
touchants, que vous n'avez de mérite à peindre
l'abjection où les rigueurs et les mépris de vos pré-
ceptes sociaux peuvent le précipiter.

Je connaissais ce jeune homme et ce bel enfant, je
savais leur histoire, car ils avaient une histoire, tout
le monde a la sienne, et chacun pourrait intéresser
au roman de sa propre vie, s'il l'avait compris...
Quoique paysan et simple laboureur, Germain s'était
rendu compte de ses devoirs et de ses affections. Il
me les avait racontés naïvement, clairement, et je
l'avais écouté avec intérêt. Quand je l'eus regardé
labourer assez longtemps, je me demandai pourquoi
son histoire ne serait pas écrite, quoique ce fût une
histoire aussi simple, aussi droite et aussi peu ornée
que le sillon qu'il traçait avec sa charrue.

L'année prochaine, ce sillon sera comblé et couvert par un sillon nouveau. Ainsi s'imprime et disparaît la trace de la plupart des hommes dans le champ de l'humanité. Un peu de terre l'efface, et les sillons que nous avons creusés se succèdent les uns aux autres comme les tombes dans le cimetière. Le sillon du laboureur ne vaut-il pas celui de l'oisif, qui a pourtant un nom, un nom qui restera, si, par une singularité ou une absurdité quelconque, il fait un peu de bruit dans le monde ?...

Eh bien ! arrachons, s'il se peut, au néant de l'oubli, le sillon de Germain, le *fin laboureur*. Il n'en saura rien et ne s'en inquiétera guère ; mais j'aurai eu quelque plaisir à le tenter.

working all the
time... live and
die w/o a trace

— main character

LE PÈRE MAURICE

— Germain, lui dit un jour son beau-père, il faut pourtant te décider à reprendre femme. Voilà bientôt deux ans que tu es veuf de ma fille, et ton aîné a sept ans. Tu approches de la trentaine, mon garçon, et tu sais que, passé cet âge-là, dans nos pays, un homme est réputé trop vieux pour entrer en ménage. Tu as trois beaux enfants, et jusqu'ici ils ne nous ont point embarrassés. Ma femme et ma bru les ont soignés de leur mieux, et les ont aimés comme elles le devaient. Voilà Petit-Pierre quasi élevé ; il pique déjà les bœufs assez gentiment ; il est assez sage pour garder les bêtes au pré, et assez fort pour mener les chevaux à l'abreuvoir. Ce n'est donc pas celui-là qui nous gêne ; mais les deux autres, que nous aimons pourtant, Dieu le sait, les pauvres innocents nous donnent cette année beaucoup de souci. Ma bru est près d'accoucher et elle en a encore un tout petit sur les bras. Quand celui que nous attendons sera venu, elle ne pourra plus s'occuper de ta petite Solange, et surtout de ton Sylvain, qui n'a pas quatre ans et qui ne se tient guère en repos ni le jour ni la nuit. C'est un sang vif comme toi : ça fera un bon ouvrier, mais ça fait un terrible enfant, et ma vieille ne court plus assez vite pour le rattraper quand il se sauve du côté de la fosse[1], ou quand il se jette sous les pieds des bêtes. Et puis, avec cet autre que ma bru va mettre au monde, son avant-dernier va retomber pendant un an au moins sur les bras de ma femme. Donc tes enfants nous inquiètent et nous surchargent. Nous n'aimons pas à voir des enfants mal soignés ; et quand on pense aux accidents qui peuvent leur arriver, faute de surveillance, on n'a pas la tête en repos. Il te faut donc une autre femme et à moi une autre bru. Songes-y, mon garçon. Je t'ai déjà averti plusieurs fois, le temps se passe, les années ne t'attendront point. Tu dois à tes enfants et à nous autres, qui voulons que tout aille bien dans la maison, de te marier au plus tôt.

— Eh bien, mon père, répondit le gendre, si vous le voulez absolument, il faudra donc vous contenter. Mais je ne veux pas vous cacher que cela me fera beaucoup de peine, et que je n'en ai guère plus d'envie que de me noyer. On sait qui on perd et on ne sait pas qui l'on trouve. J'avais une brave femme, une belle femme, douce, courageuse, bonne à ses père et mère, bonne à son mari, bonne à ses enfants, bonne au travail, aux champs comme à la maison, adroite à l'ouvrage, bonne à tout enfin ; et

1. *Fosse* : petite mare.

quand vous me l'avez donnée, quand je l'ai prise,
nous n'avions pas mis dans nos conditions que je
viendrais à l'oublier si j'avais le malheur de la
perdre.

— Ce que tu dis là est d'un bon cœur, Germain,
reprit le père Maurice ; je sais que tu as aimé ma
fille, que tu l'as rendue heureuse, et que si tu avais
pu contenter la mort en passant à sa place, Catherine serait en vie à l'heure qu'il est, et toi dans le
cimetière. Elle méritait bien d'être aimée de toi à ce
point-là, et si tu ne t'en consoles pas, nous ne nous
en consolons pas non plus. Mais je ne te parle pas
de l'oublier. Le bon Dieu a voulu qu'elle nous quit-
tât, et nous ne passons pas un jour sans lui faire
savoir par nos prières, nos pensées, nos paroles et
nos actions, que nous respectons son souvenir et
que nous sommes fâchés de son départ. Mais si elle
pouvait te parler de l'autre monde et te donner à
connaître sa volonté, elle te commanderait de chercher une mère pour ses petits orphelins. Il s'agit
donc de rencontrer une femme qui soit digne de la
remplacer. Ce ne sera pas bien aisé ; mais ce n'est
pas impossible ; et quand nous te l'aurons trouvée,
tu l'aimeras comme tu aimais ma fille, parce que tu
es un honnête homme, et que tu lui sauras gré de
nous rendre service et d'aimer tes enfants.

— C'est bien, père Maurice, dit Germain, je
ferai votre volonté comme je l'ai toujours faite.

— C'est une justice à te rendre, mon fils, que tu
as toujours écouté l'amitié et les bonnes raisons de

ton chef de famille. Avisons donc ensemble au choix de ta nouvelle femme. D'abord je ne suis pas d'avis que tu prennes une jeunesse. Ce n'est pas ce qu'il te faut. La jeunesse est légère ; et comme c'est un fardeau d'élever trois enfants, surtout quand ils sont d'un autre lit, il faut une bonne âme bien sage, bien douce et très portée au travail. Si ta femme n'a pas environ le même âge que toi, elle n'aura pas assez de raison pour accepter un pareil devoir. Elle te trouvera trop vieux et tes enfants trop jeunes. Elle se plaindra et tes enfants pâtiront.

— Voilà justement ce qui m'inquiète, dit Germain. Si ces pauvres petits venaient à être maltraités, haïs, battus ?

— À Dieu ne plaise ! reprit le vieillard. Mais les méchantes femmes sont plus rares dans notre pays que les bonnes, et il faudrait être fou pour ne pas mettre la main sur celle qui convient.

— C'est vrai, mon père : il y a de bonnes filles dans notre village. Il y a la Louise, la Sylvaine, la Claudie, la Marguerite... enfin, celle que vous voudrez.

— Doucement, doucement, mon garçon, toutes ces filles-là sont trop jeunes ou trop pauvres... ou trop jolies filles ; car, enfin, il faut penser à cela aussi, mon fils. Une jolie femme n'est pas toujours aussi rangée qu'une autre.

— Vous voulez donc que j'en prenne une laide ? dit Germain un peu inquiet.

— Non, point laide, car cette femme te donnera

d'autres enfants, et il n'y a rien de si triste que d'avoir des enfants laids, chétifs, et malsains. Mais une femme encore fraîche, d'une bonne santé et qui ne soit ni belle ni laide, ferait très bien ton affaire.

— Je vois bien, dit Germain en souriant un peu tristement, que, pour l'avoir telle que vous la voulez, il faudra la faire faire exprès : d'autant plus que vous ne la voulez point pauvre, et que les riches ne sont pas faciles à obtenir surtout pour un veuf.

— Et si elle était veuve elle-même, Germain ? là, une veuve sans enfants et avec un bon bien ?

— Je n'en connais pas pour le moment dans notre paroisse.

— Ni moi non plus, mais il y en a ailleurs.

— Vous avez quelqu'un en vue, mon père ; alors, dites-le tout de suite.

GERMAIN LE FIN LABOUREUR

— Oui, j'ai quelqu'un en vue, répondit le père Maurice. C'est une Léonard, veuve d'un Guérin, qui demeure à Fourche.

— Je ne connais ni la femme ni l'endroit, répondit Germain résigné, mais de plus en plus triste.

— Elle s'appelle Catherine, comme ta défunte.

— Catherine? Oui, ça me fera plaisir d'avoir à dire ce nom-là : Catherine! Et pourtant, si je ne peux pas l'aimer autant que l'autre, ça me fera encore plus de peine, ça me la rappellera plus souvent.

— Je te dis que tu l'aimeras : c'est un bon sujet, une femme de grand cœur; je ne l'ai pas vue depuis longtemps, elle n'était pas laide fille alors; mais elle n'est plus jeune, elle a trente-deux ans. Elle est d'une bonne famille, tous braves gens, et elle a bien pour huit ou dix mille francs de terres, qu'elle vendrait volontiers pour en acheter d'autres dans l'endroit où elle s'établirait; car elle songe aussi à se remarier, et je sais que, si ton caractère lui convenait, elle ne trouverait pas ta position mauvaise.

— Vous avez donc déjà arrangé tout cela?

— Oui, sauf votre avis à tous les deux ; et c'est ce qu'il faudrait vous demander l'un à l'autre, en faisant connaissance. Le père de cette femme-là est un peu mon parent, et il a été beaucoup mon ami. Tu le connais bien, le père Léonard ?   *catherine fa*

— Oui, je l'ai vu vous parler dans les foires, et à la dernière, vous avez déjeuné ensemble ; c'est donc de cela qu'il vous entretenait si longuement ?

— Sans doute ; il te regardait vendre tes bêtes et il trouvait que tu t'y prenais bien, que tu étais un garçon de bonne mine, que tu paraissais actif et entendu ; et quand je lui eus dit tout ce que tu es et comme tu te conduis bien avec nous, depuis huit ans que nous vivons et travaillons ensemble, sans avoir jamais eu un mot de chagrin ou de colère, il s'est mis dans la tête de te faire épouser sa fille ; ce qui me convient aussi, je te le confesse, d'après la bonne renommée qu'elle a, d'après l'honnêteté de sa famille et les bonnes affaires où je sais qu'ils sont.

— Je vois, père Maurice, que vous tenez un peu aux bonnes affaires.

— Sans doute, j'y tiens. Est-ce que tu n'y tiens pas aussi ?

— J'y tiens si vous voulez, pour vous faire plaisir ; mais vous savez que, pour ma part, je ne m'embarrasse jamais de ce qui me revient ou de ce qui ne me revient pas dans nos profits. Je ne m'entends pas à faire des partages, et ma tête n'est pas bonne pour ces choses-là. Je connais la terre, je connais les bœufs, les chevaux, les attelages, les semences, la battaison[1], les fourrages. Pour les moutons, la vigne, le jardinage, les menus profits et la culture fine, vous savez que ça regarde votre fils et que je ne m'en mêle pas beaucoup. Quant à l'argent, ma mémoire est courte, et j'aimerais mieux tout céder que de disputer sur le tien et le mien. Je craindrais de me tromper et de réclamer ce qui ne m'est pas dû, et si les affaires n'étaient pas simples et claires, je ne m'y retrouverais jamais.

— C'est tant pis, mon fils, et voilà pourquoi j'aimerais que tu eusses une femme de tête pour me remplacer quand je n'y serai plus. Tu n'as jamais voulu voir clair dans nos comptes, et ça pourrait t'amener du désagrément avec mon fils, quand vous ne m'aurez plus pour vous mettre d'accord et vous dire ce qui vous revient à chacun.

— Puissiez-vous vivre longtemps, père Maurice! Mais ne vous inquiétez pas de ce qui sera après vous; jamais je ne me disputerai avec votre fils. Je me fie à Jacques comme à vous-même, et comme je n'ai pas de bien à moi, que tout ce qui peut me revenir provient de votre fille et appartient à nos enfants, je peux être tranquille et vous aussi; Jacques ne voudrait pas dépouiller les enfants de sa sœur pour les siens, puisqu'il les aime quasi autant les uns que les autres.

— Tu as raison en cela, Germain. Jacques est un bon fils, un bon frère, et un homme qui aime la

---

1. *Battaison* : battage.

vérité. Mais Jacques peut mourir avant toi, avant
que vos enfants soient élevés, et il faut toujours songer, dans une famille, à ne pas laisser des mineurs
sans un chef pour les bien conseiller et régler leurs
différends. Autrement les gens de loi s'en mêlent,
les brouillent ensemble et leur font tout manger en
procès. Ainsi donc, nous ne devons pas penser à
mettre chez nous une personne de plus, soit homme,
soit femme, sans nous dire qu'un jour cette per-
sonne-là aura peut-être à diriger la conduite et les
affaires d'une trentaine d'enfants, petits-enfants,
gendres et brus... On ne sait pas combien une
famille peut s'accroître, et quand la ruche est trop
pleine, qu'il faut essaimer, chacun songe à emporter
son miel. Quand je t'ai pris pour gendre, quoique
ma fille fût riche et toi pauvre, je ne lui ai pas fait
reproche de t'avoir choisi. Je te voyais bon travailleur, et je savais bien que la meilleure richesse
pour des gens de campagne comme nous, c'est une
paire de bras et un cœur comme les tiens. Quand un
homme apporte cela dans une famille, il apporte
assez. Mais une femme, c'est différent : son travail
dans la maison est bon pour conserver, non pour
acquérir. D'ailleurs, à présent que tu es père et que
tu cherches femme, il faut songer que tes nouveaux
enfants, n'ayant rien à prétendre dans l'héritage de
ceux du premier lit, se trouveraient dans la misère
si tu venais à mourir, à moins que ta femme n'eût
quelque bien de son côté. Et puis, les enfants dont
tu vas augmenter notre colonie coûteront quelque

chose à nourrir. Si cela retombait sur nous seuls, nous les nourririons, bien certainement, et sans nous en plaindre ; mais le bien-être de tout le monde en serait diminué, et les premiers enfants auraient leur part de privations là-dedans. Quand les familles augmentent outre mesure sans que le bien augmente en proportion, la misère vient, quelque courage qu'on y mette. Voilà mes observations, Germain, pèse-les, et tâche de te faire agréer à la veuve Guérin ; car sa bonne conduite et ses écus apporteront ici de l'aide dans le présent et de la tranquillité pour l'avenir.

— C'est dit, mon père. Je vais tâcher de lui plaire et qu'elle me plaise.

— Pour cela il faut la voir et aller la trouver.

— Dans son endroit ? À Fourche ? C'est loin d'ici, n'est-ce pas ? et nous n'avons guère le temps de courir dans cette saison.

— Quand il s'agit d'un mariage d'amour, il faut s'attendre à perdre du temps ; mais quand c'est un mariage de raison entre deux personnes qui n'ont pas de caprices et savent ce qu'elles veulent, c'est bientôt décidé. C'est demain samedi ; tu feras ta journée de labour un peu courte, tu partiras vers les deux heures après dîner ; tu seras à Fourche à la nuit, la lune est grande dans ce moment-ci, les chemins sont bons, et il n'y a pas plus de trois lieues de pays. C'est près du Magnier. D'ailleurs tu prendras la jument.

— J'aimerais autant aller à pied, par ce temps frais.

— Oui, mais la jument est belle, et un prétendu qui arrive aussi bien monté a meilleur air. Tu mettras tes habits neufs, et tu porteras un joli présent de gibier au père Léonard. Tu arriveras de ma part, tu causeras avec lui, tu passeras la journée du dimanche avec sa fille, et tu reviendras avec un oui ou un non lundi matin.

— C'est entendu, répondit tranquillement Germain ; et pourtant il n'était pas tout à fait tranquille.

Germain avait toujours vécu sagement comme vivent les paysans laborieux. Marié à vingt ans, il n'avait aimé qu'une femme dans sa vie, et, depuis son veuvage, quoiqu'il fût d'un caractère impétueux et enjoué, il n'avait ri et folâtré avec aucune autre. Il avait porté fidèlement un véritable regret dans son cœur, et ce n'était pas sans crainte et sans tristesse qu'il cédait à son beau-père ; mais le beau-père avait toujours gouverné sagement la famille, et Germain, qui s'était dévoué tout entier à l'œuvre commune, et, par conséquent, à celui qui la personnifiait, au père de famille, Germain ne comprenait pas qu'il eût pu se révolter contre de bonnes raisons, contre l'intérêt de tous.

Néanmoins il était triste. Il se passait peu de jours qu'il ne pleurât sa femme en secret, et, quoique la solitude commençât à lui peser, il était plus effrayé de former une union nouvelle que désireux de se soustraire à son chagrin. Il se disait vaguement que l'amour eût pu le consoler, en venant le surprendre, car l'amour ne console pas autrement. On ne le

trouve pas quand on le cherche; il vient à nous
quand nous ne l'attendons pas. Ce froid projet de
mariage que lui montrait le père Maurice, cette fiancée inconnue, peut-être même tout ce bien qu'on lui
disait de sa raison et de sa vertu, lui donnaient à penser. Et il s'en allait, songeant, comme songent les
hommes qui n'ont pas assez d'idées pour qu'elles se
combattent entre elles, c'est-à-dire ne se formulant
pas à lui-même de belles raisons de résistance et
d'égoïsme, mais souffrant d'une douleur sourde, et
ne luttant pas contre un mal qu'il fallait accepter.

Cependant, le père Maurice était rentré à la
métairie, tandis que Germain, entre le coucher du
soleil et la nuit, occupait la dernière heure du jour à
fermer les brèches que les moutons avaient faites à
la bordure d'un enclos voisin des bâtiments. Il rele-
vait les tiges d'épine et les soutenait avec des
mottes de terre, tandis que les grives babillaient
dans un buisson voisin et semblaient lui crier de se
hâter, curieuses qu'elles étaient de venir examiner
son ouvrage aussitôt qu'il serait parti.

V

LA GUILLETTE

Le père Maurice trouva chez lui une vieille voisine qui était venue causer avec sa femme tout en
cherchant de la braise pour allumer son feu. La
mère Guillette habitait une chaumière fort pauvre à
deux portées de fusil de la ferme. Mais c'était une
femme d'ordre et de volonté. Sa pauvre maison
était propre et bien tenue, et ses vêtements rapiécés
avec soin annonçaient le respect de soi-même au
milieu de la détresse.

— Vous êtes venue chercher le feu du soir, mère
Guillette, lui dit le vieillard. Voulez-vous quelque
autre chose ?

— Non, père Maurice, répondit-elle ; rien pour
le moment. Je ne suis pas quémandeuse, vous le
savez, et je n'abuse pas de la bonté de mes amis.

— C'est la vérité ; aussi vos amis sont toujours
prêts à vous rendre service.

— J'étais en train de causer avec votre femme,
et je lui demandais si Germain se décidait enfin à se
remarier.

— Vous n'êtes point une bavarde, répondit le

père Maurice, on peut parler devant vous sans
craindre les propos : ainsi je dirai à ma femme et à
vous que Germain est tout à fait décidé ; il part
demain pour le domaine de Fourche.

— À la bonne heure ! s'écria la mère Maurice ;
ce pauvre enfant ! Dieu veuille qu'il trouve une
femme aussi bonne et aussi brave que lui !

— Ah ! il va à Fourche ? observa la Guillette.
Voyez comme ça se trouve ! cela m'arrange beaucoup, et puisque vous me demandiez tout à l'heure
si je désirais quelque chose, je vas vous dire, père
Maurice, en quoi vous pouvez m'obliger.

— Dites, dites, vous obliger, nous le voulons.

— Je voudrais que Germain prît la peine d'emmener ma fille avec lui.

— Où donc ? À Fourche ?

— Non, pas à Fourche ; mais aux Ormeaux, où
elle va rester le reste de l'année.

— Comment ! dit la mère Maurice, vous vous
séparez de votre fille ?

— Il faut bien qu'elle entre en condition et
qu'elle gagne quelque chose. Ça me fait assez de
peine et à elle aussi, la pauvre âme ! Nous n'avons
pas pu nous décider à nous quitter à l'époque de la
Saint-Jean ; mais voilà que la Saint-Martin[1] arrive,
et qu'elle trouve une bonne place de bergère dans

---

1. La Saint-Jean se fête le 24 juin ; la Saint-Martin, le
11 novembre. Ce sont les deux dates où l'on loue les domestiques.
La « loue » se déroule pendant les foires.

les fermes des Ormeaux. Le fermier passait l'autre
jour par ici en revenant de la foire. Il vit ma petite
Marie qui gardait ses trois moutons sur le communal. «Vous n'êtes guère occupée, ma petite fille,
qu'il lui dit; et trois moutons pour une *pastoure*[1],
ce n'est guère. Voulez-vous en garder cent? je
vous emmène. La bergère de chez nous est tombée
malade, elle retourne chez ses parents, et si vous
voulez être chez nous avant huit jours, vous aurez
cinquante francs[2] pour le reste de l'année jusqu'à la
Saint-Jean.» L'enfant a refusé, mais elle n'a pu se
défendre d'y songer et de me le dire lorsqu'en ren-
trant le soir elle m'a vue triste et embarrassée de
passer l'hiver, qui va être rude et long, puisqu'on a
vu, cette année, les grues et les oies sauvages traverser les airs un grand mois plus tôt que de coutume. Nous avons pleuré toutes deux; mais enfin le
courage est venu. Nous nous sommes dit que nous
ne pouvions pas rester ensemble, puisqu'il y a à
peine de quoi faire vivre une seule personne sur
notre lopin de terre; et puisque Marie est en âge (la
voilà qui prend seize ans), il faut bien qu'elle fasse
comme les autres, qu'elle gagne son pain et qu'elle
aide sa pauvre mère.

1. *Pastoure* : bergère.
2. Dans la *Lettre d'un paysan de la Vallée noire*, G. Sand nous
apprend qu'en 1844 un paysan gagnait «20 sous par jour en été,
10 sous en hiver». Une bergère était bien moins payée : Marie,
engagée aux environs de la Saint-Martin, doit toucher 50 francs
pour le reste de l'année, jusqu'à la Saint-Jean. Le fermier vicieux
lui offrira 100 francs.

— Mère Guillette, dit le vieux laboureur, s'il ne fallait que cinquante francs pour vous consoler de vos peines et vous dispenser d'envoyer votre enfant au loin, vrai, je vous les ferais trouver, quoique cinquante francs pour des gens comme nous ça commence à peser. Mais en toutes choses il faut consulter la raison autant que l'amitié. Pour être sauvée de la misère de cet hiver, vous ne le serez pas de la misère à venir, et plus votre fille tardera à prendre un parti, plus elle et vous aurez de peine à vous quitter. La petite Marie se fait grande et forte, et elle n'a pas de quoi s'occuper chez vous. Elle pourrait y prendre l'habitude de la fainéantise…

— Oh! pour cela, je ne le crains pas, dit la Guillette. Marie est courageuse autant que fille riche et à la tête d'un gros travail puisse l'être. Elle ne reste pas un instant les bras croisés, et quand nous n'avons pas d'ouvrage, elle nettoie et frotte nos pauvres meubles qu'elle rend clairs comme des miroirs. C'est une enfant qui vaut son pesant d'or, et j'aurais bien mieux aimé qu'elle entrât chez vous comme bergère que d'aller si loin chez des gens que je ne connais pas. Vous l'auriez prise à la Saint-Jean, si nous avions su nous décider; mais à présent vous avez loué tout votre monde, et ce n'est qu'à la Saint-Jean de l'autre année que nous pourrons y songer.

— Eh! j'y consens de tout mon cœur, Guillette! Cela me fera plaisir. Mais en attendant, elle fera bien d'apprendre un état et de s'habituer à servir les autres.

— Oui, sans doute ; le sort en est jeté. Le fermier des Ormeaux l'a fait demander ce matin ; nous avons dit oui, et il faut qu'elle parte. Mais la pauvre enfant ne sait pas le chemin, et je n'aimerais pas à l'envoyer si loin toute seule. Puisque votre gendre va à Fourche demain, il peut bien l'emmener. Il paraît que c'est tout à côté du domaine où elle va, à ce qu'on m'a dit ; car je n'ai jamais fait ce voyage-là.

— C'est tout à côté, et mon gendre la conduira. Cela se doit ; il pourra même la prendre en croupe sur la jument, ce qui ménagera ses souliers. Le voilà qui rentre pour souper. Dis-moi, Germain, la petite Marie à la mère Guillette s'en va bergère aux Ormeaux. Tu la conduiras sur ton cheval, n'est-ce pas ?

— C'est bien, répondit Germain qui était soucieux mais toujours disposé à rendre service à son prochain.

Dans notre monde à nous, pareille chose ne viendrait pas à la pensée d'une mère, de confier une fille de seize ans à un homme de vingt-huit ; car Germain n'avait réellement que vingt-huit ans ; et quoique, selon les idées de son pays, il passât pour vieux au point de vue mariage, il était encore le plus bel homme de l'endroit. Le travail ne l'avait pas creusé et flétri comme la plupart des paysans qui ont dix années de labourage sur la tête. Il était de force à labourer encore dix ans sans paraître vieux, et il eût fallu que le préjugé de l'âge fût bien fort sur l'esprit d'une jeune fille pour l'empêcher de voir que Germain avait le teint frais, l'œil vif et bleu comme le ciel de mai, la bouche rose, des dents superbes, le corps élégant et souple comme celui d'un jeune cheval qui n'a pas encore quitté le pré.

Mais la chasteté des mœurs est une tradition sacrée dans certaines campagnes éloignées du mouvement corrompu des grandes villes, et, entre toutes les familles de Belair, la famille de Maurice était réputée honnête et servant la vérité. Germain s'en allait chercher femme ; Marie était une enfant trop jeune et trop pauvre pour qu'il y songeât dans cette vue, et, à moins d'être un *sans cœur* et un *mauvais homme*, il était impossible qu'il eût une coupable pensée auprès d'elle. Le père Maurice ne fut donc nullement inquiet de lui voir prendre en croupe cette jolie fille ; la Guillette eût cru lui faire injure si elle lui eût recommandé de la respecter comme sa sœur ; Marie monta sur la jument en pleurant, après avoir vingt fois embrassé sa mère et ses jeunes amies. Germain, qui était triste pour son compte, compatissait d'autant plus à son chagrin, et s'en alla d'un air sérieux, tandis que les gens du voisinage disaient adieu de la main à la pauvre Marie sans songer à mal.

VI

PETIT-PIERRE

La Grise était jeune, belle et vigoureuse. Elle portait sans effort son double fardeau, couchant les oreilles et rongeant son frein, comme une fière et ardente jument qu'elle était. En passant devant le pré long elle aperçut sa mère, qui s'appelait la vieille Grise, comme elle la jeune Grise, et elle hennit en signe d'adieu. La vieille Grise approcha de la haie en faisant résonner ses enferges[1], essaya de galoper sur la marge du pré pour suivre sa fille ; puis, la voyant prendre le grand trot, elle hennit à son tour, et resta pensive, inquiète, le nez au vent, la bouche pleine d'herbes qu'elle ne songeait plus à manger[2].

— Cette pauvre bête connaît toujours sa progéniture, dit Germain pour distraire la petite Marie de son chagrin. Ça me fait penser que je n'ai pas

---

1. *Enferges* : entraves pour empêcher les chevaux de courir dans les pâturages.
2. Passage admiré par Sainte-Beuve : « On n'a pas affaire ici à un peintre amateur qui a traversé les champs pour y prendre des points de vue ; le peintre y a vécu, y a habité des années ; il en connaît toute chose et en sait l'âme. »

embrassé mon Petit-Pierre avant de partir. Le mauvais enfant n'était pas là ! Il voulait, hier au soir, me
faire promettre de l'emmener, et il a pleuré pendant
une heure dans son lit. Ce matin, encore, il a tout
essayé pour me persuader. Oh ! qu'il est adroit et
câlin ! mais quand il a vu que ça ne se pouvait pas,
monsieur s'est fâché : il est parti dans les champs, et
je ne l'ai pas revu de la journée.

— Moi, je l'ai vu, dit la petite Marie en faisant
un effort pour rentrer ses larmes. Il courait avec les
enfants de Soulas du côté des tailles [1], et je me suis
bien doutée qu'il était hors de la maison depuis
longtemps, car il avait faim et mangeait des pru-
nelles et des mûres de buisson. Je lui ai donné le
pain de mon goûter, et il m'a dit : Merci, ma Marie
mignonne : quand tu viendras chez nous, je te don-
nerai de la galette. C'est un enfant trop gentil que
vous avez là, Germain !

— Oui, qu'il est gentil, reprit le laboureur, et je
ne sais pas ce que je ne ferais pas pour lui ! Si sa
grand-mère n'avait pas eu plus de raison que moi,
je n'aurais pas pu me tenir de l'emmener, quand je
le voyais pleurer si fort que son pauvre petit cœur
en était tout gonflé.

— Eh bien ! pourquoi ne l'auriez-vous pas
emmené, Germain ? Il ne vous aurait guère embarrassé ; il est si raisonnable quand on fait sa volonté !

— Il paraît qu'il aurait été de trop là où je vais.

1. *Tailles* : bois coupés qui commencent à repousser.

Du moins c'était l'avis du père Maurice... Moi, pourtant, j'aurais pensé qu'au contraire il fallait voir comment on le recevrait, et qu'un si gentil enfant ne pouvait qu'être pris en bonne amitié... Mais ils disent à la maison qu'il ne faut pas commencer par faire voir les charges du ménage... Je ne sais pas pourquoi je te parle de ça, petite Marie ; tu n'y comprends rien.

— Si fait, Germain ; je sais que vous allez vous marier ; ma mère me l'a dit, en me recommandant de n'en parler à personne, ni chez nous, ni là où je vais, et vous pouvez être tranquille : je n'en dirai mot.

— Tu feras bien, car ce n'est pas fait ; peut-être que je ne conviendrai pas à la femme en question.

— Il faut espérer que si, Germain. Pourquoi donc ne lui conviendrez-vous pas ?

— Qui sait ? J'ai trois enfants, et c'est lourd pour une femme qui n'est pas leur mère !

— C'est vrai, mais vos enfants ne sont pas comme d'autres enfants.

— Crois-tu ?

— Ils sont beaux comme des petits anges, et si bien élevés qu'on n'en peut pas voir de plus aimables.

— Il y a Sylvain qui n'est pas trop commode.

— Il est tout petit ! il ne peut pas être autrement que terrible, mais il a tant d'esprit !

— C'est vrai qu'il a de l'esprit : et un courage ! Il ne craint ni vaches, ni taureaux, et si on le laissait faire, il grimperait déjà sur les chevaux avec son aîné.

— Moi, à votre place, j'aurais amené l'aîné. Bien

sûr ça vous aurait fait aimer tout de suite, d'avoir un enfant si beau !

— Oui, si la femme aime les enfants ; mais si elle ne les aime pas !

— Est-ce qu'il y a des femmes qui n'aiment pas les enfants ?

— Pas beaucoup, je pense ; mais enfin il y en a, et c'est là ce qui me tourmente.

— Vous ne la connaissez donc pas du tout cette femme ?

— Pas plus que toi, et je crains de ne pas la mieux connaître, après que je l'aurai vue. Je ne suis pas méfiant, moi. Quand on me dit de bonnes paroles, j'y crois : mais j'ai été plus d'une fois à même de m'en repentir, car les paroles ne sont pas des actions.

— On dit que c'est une fort brave femme.

— Qui dit cela ? le père Maurice !

— Oui, votre beau-père.

— C'est fort bien : mais il ne la connaît pas non plus.

— Eh bien, vous la verrez tantôt, vous ferez grande attention, et il faut espérer que vous ne vous tromperez pas, Germain.

— Tiens, petite Marie, je serais bien aise que tu entres un peu dans la maison, avant de t'en aller tout droit aux Ormeaux : tu es fine, toi, tu as toujours montré de l'esprit, et tu fais attention à tout. Si tu vois quelque chose qui te donne à penser, tu m'en avertiras tout doucement.

— Oh! non, Germain, je ne ferai pas cela! je craindrais trop de me tromper; et, d'ailleurs, si une parole dite à la légère venait à vous dégoûter de ce mariage, vos parents m'en voudraient, et j'ai bien assez de chagrins comme ça, sans en attirer d'autres sur ma pauvre chère femme de mère.

Comme ils devisaient ainsi, la Grise fit un écart en dressant les oreilles, puis revint sur ses pas et se rapprocha du buisson, où quelque chose qu'elle commençait à reconnaître l'avait d'abord effrayée. Germain jeta un regard sur le buisson, et vit dans le fossé, sous les branches épaisses et encore fraîches d'un têteau[1] de chêne, quelque chose qu'il prit pour un agneau.

— C'est une bête égarée, dit-il, ou morte, car elle ne bouge. Peut-être que quelqu'un la cherche; il faut voir!

— Ce n'est pas une bête, s'écria la petite Marie : c'est un enfant qui dort; c'est votre Petit-Pierre.

— Par exemple! dit Germain en descendant de cheval : voyez ce petit garnement qui dort là, si loin de la maison, et dans un fossé où quelque serpent pourrait bien le trouver!

Il prit dans ses bras l'enfant qui lui sourit en ouvrant les yeux et jeta ses bras autour de son cou en lui disant : Mon petit père, tu vas m'emmener avec toi!

---

1. *Têteau* : arbre dont on coupe les branches, et dont le sommet a la forme d'une grosse tête.

— Ah oui ! toujours la même chanson ! Que faisiez-vous là, mauvais Pierre ?

— J'attendais mon petit père à passer, dit l'enfant ; je regardais sur le chemin, et à force de regarder, je me suis endormi.

— Et si j'étais passé sans te voir, tu serais resté toute la nuit dehors, et le loup t'aurait mangé !

— Oh ! je savais bien que tu me verrais ! répondit Petit-Pierre avec confiance.

— Eh bien, à présent, mon Pierre, embrasse-moi, dis-moi adieu, et retourne vite à la maison, si tu ne veux pas qu'on soupe sans toi.

— Tu ne veux donc pas m'emmener ! s'écria le petit en commençant à frotter ses yeux pour montrer qu'il avait dessein de pleurer.

— Tu sais bien que grand-père et grand-mère ne le veulent pas, dit Germain, se retranchant derrière l'autorité des vieux parents, comme un homme qui ne compte guère sur la sienne propre.

Mais l'enfant n'entendit rien. Il se prit à pleurer tout de bon, disant que, puisque son père emmenait la petite Marie, il pouvait bien l'emmener aussi. On lui objecta qu'il fallait passer les grands bois, qu'il y avait là beaucoup de méchantes bêtes qui mangeaient les petits enfants, que la Grise ne voulait pas porter trois personnes, qu'elle l'avait déclaré en partant, et que dans le pays où l'on se rendait, il n'y avait ni lit ni souper pour les marmots. Toutes ces excellentes raisons ne persuadèrent point Petit-Pierre ; il se jeta sur l'herbe, et s'y roula, en criant

que son petit père ne l'aimait plus, et que s'il ne
l'emmenait pas, il ne rentrerait point du jour ni de
la nuit à la maison.

Germain avait un cœur de père aussi tendre et aussi
faible que celui d'une femme. La mort de la sienne,
les soins qu'il avait été forcé de rendre seul à ses
petits, aussi la pensée que ces pauvres enfants sans
mère avaient besoin d'être beaucoup aimés, avaient
contribué à le rendre ainsi, et il se fit en lui un si rude
combat, d'autant plus qu'il rougissait de sa faiblesse
et s'efforçait de cacher son malaise à la petite Marie,
que la sueur lui en vint au front et que ses yeux se bor-
dèrent de rouge, prêts à pleurer aussi. Enfin il essaya
de se mettre en colère ; mais, en se retournant vers la
petite Marie, comme pour la prendre à témoin de sa
fermeté d'âme, il vit que le visage de cette bonne fille
était baigné de larmes, et tout son courage l'abandonnant, il lui fut impossible de retenir les siennes, bien
qu'il grondât et menaçât encore.

— Vrai, vous avez le cœur trop dur, lui dit enfin
la petite Marie, et, pour ma part, je ne pourrai jamais
résister comme cela à un enfant qui a un si gros chagrin. Voyons, Germain, emmenez-le. Votre jument
est bien habituée à porter deux personnes et un
enfant, à preuve que votre beau-frère et sa femme,
qui est plus lourde que moi de beaucoup, vont au
marché le samedi avec leur garçon, sur le dos de
cette bonne bête. Vous le mettrez à cheval devant
vous, et d'ailleurs j'aime mieux m'en aller toute
seule à pied que de faire de la peine à ce petit.

— Qu'à cela ne tienne, répondit Germain, qui mourait d'envie de se laisser convaincre. La Grise est forte et en porterait deux de plus, s'il y avait place sur son échine. Mais que ferons-nous de cet enfant en route ? Il aura froid, il aura faim… et qui prendra soin de lui ce soir et demain pour le coucher, le laver et le rhabiller ? Je n'ose pas donner cet ennui-là à une femme que je ne connais pas, et qui trouvera, sans doute, que je suis bien sans façons avec elle pour commencer.

— D'après l'amitié ou l'ennui qu'elle montrera, vous la connaîtrez tout de suite, Germain, croyez-moi ; et d'ailleurs, si elle rebute votre Pierre, moi je m'en charge. J'irai chez elle l'habiller et je l'emmènerai aux champs demain. Je l'amuserai toute la journée et j'aurai soin qu'il ne manque de rien.

— Et il t'ennuiera, ma pauvre fille ! Il te gênera ! toute une journée, c'est long !

— Ça me fera plaisir, au contraire, ça me tiendra compagnie, et ça me rendra moins triste le premier jour que j'aurai à passer dans un nouveau pays. Je me figurerai que je suis encore chez nous.

L'enfant, voyant que la petite Marie prenait son parti, s'était cramponné à sa jupe et la tenait si fort qu'il eût fallu lui faire du mal pour l'en arracher. Quand il reconnut que son père cédait, il prit la main de Marie dans ses deux petites mains brunies par le soleil, et l'embrassa en sautant de joie et en la tirant vers la jument, avec cette impatience ardente que les enfants portent dans leurs désirs.

— Allons, allons, dit la jeune fille, en le soule-
vant dans ses bras, tâchons d'apaiser ce pauvre cœur
qui saute comme un petit oiseau, et si tu sens le froid
quand la nuit viendra, dis-le-moi, mon Pierre, je te
serrerai dans ma cape[1]. Embrasse ton petit père, et
demande-lui pardon d'avoir fait le méchant. Dis que
ça ne t'arrivera plus, jamais ! jamais, entends-tu ?

— Oui, oui, à condition que je ferai toujours sa
volonté, n'est-ce pas ? dit Germain en essuyant les
yeux du petit avec son mouchoir : ah ! Marie, vous
me le gâtez, ce drôle-là !… Et vraiment, tu es une
trop bonne fille, petite Marie. Je ne sais pas pourquoi
tu n'es pas entrée bergère chez nous à la Saint-Jean
dernière. Tu aurais pris soin de mes enfants, et j'aurais mieux aimé te payer un bon prix pour les servir,
que d'aller chercher une femme qui croira peut-être
me faire beaucoup de grâce en ne les détestant pas.

— Il ne faut pas voir comme ça les choses par le
mauvais côté, répondit la petite Marie, en tenant la
bride du cheval pendant que Germain plaçait son
fils sur le devant du large bât garni de peau de
chèvre : si votre femme n'aime pas les enfants, vous
me prendrez à votre service l'an prochain, et, soyez
tranquille, je les amuserai si bien qu'ils ne s'aper-
cevront de rien.

1. *Cape* : capuchon.

DANS LA LANDE

— Ah ça, dit Germain, lorsqu'ils eurent fait quelques pas, que va-t-on penser à la maison en ne voyant pas rentrer ce petit bonhomme ? Les parents vont être inquiets et le chercheront partout.

— Vous allez dire au cantonnier qui travaille là-haut sur la route que vous l'emmenez, et vous lui recommanderez d'avertir votre monde.

— C'est vrai, Marie, tu t'avises de tout, toi ; moi, je ne pensais plus que Jeannie devait être par là.

— Et justement, il demeure tout près de la métairie ; et il ne manquera pas de faire la commission.

Quand on eut avisé à cette précaution, Germain remit la jument au trot, et Petit-Pierre était si joyeux, qu'il ne s'aperçut pas tout de suite qu'il n'avait pas dîné ; mais le mouvement du cheval lui creusant l'estomac, il se prit, au bout d'une lieue, à bâiller, à pâlir, et à confesser qu'il mourait de faim.

— Voilà que ça commence, dit Germain. Je savais bien que nous n'irions pas loin sans que ce monsieur criât la faim ou la soif.

— J'ai soif aussi ! dit Petit-Pierre.

— Eh bien ! nous allons donc entrer dans le cabaret de la mère Rebec, à Corlay, au *Point du Jour* ?
Belle enseigne, mais pauvre gîte ! Allons, Marie, tu
boiras aussi un doigt de vin.

— Non, non, je n'ai besoin de rien, dit-elle, je
tiendrai la jument pendant que vous entrerez avec
le petit.

— Mais j'y songe, ma bonne fille, tu as donné
ce matin le pain de ton goûter à mon Pierre, et toi tu
es à jeun ; tu n'as pas voulu dîner avec nous à la
maison, tu ne faisais que pleurer.

— Oh ! je n'avais pas faim, j'avais trop de
peine ! et je vous jure qu'à présent encore je ne sens
aucune envie de manger.

— Il faut te forcer, petite ; autrement tu seras
malade. Nous avons du chemin à faire, et il ne faut
pas arriver là-bas comme des affamés pour demander du pain avant de dire bonjour. Moi-même je
veux te donner l'exemple, quoique je n'aie pas
grand appétit ; mais j'en viendrai à bout, vu que,
après tout, je n'ai pas dîné non plus. Je vous voyais
pleurer, toi et ta mère, et ça me troublait le cœur.
Allons, allons, je vais attacher la Grise à la porte ;
descends, je le veux.

Ils entrèrent tous trois chez la Rebec, et, en
moins d'un quart d'heure, la grosse boiteuse réussit
à leur servir une omelette de bonne mine, du pain
bis et du vin clairet.

Les paysans ne mangent pas vite, et le petit
Pierre avait si grand appétit qu'il se passa bien une

heure avant que Germain pût songer à se remettre
en route. La petite Marie avait mangé par complai-
sance d'abord ; puis, peu à peu, la faim était venue :
car à seize ans on ne peut pas faire longtemps diète,
et l'air des campagnes est impérieux. Les bonnes
paroles que Germain sut lui dire pour la consoler et
lui faire prendre courage produisirent aussi leur
effet ; elle fit effort pour se persuader que sept mois
seraient bientôt passés, et pour songer au bonheur
qu'elle aurait de se retrouver dans sa famille et dans
son hameau, puisque le père Maurice et Germain
s'accordaient pour lui promettre de la prendre à
leur service. Mais comme elle commençait à
s'égayer et à badiner avec le petit Pierre, Germain
eut la malheureuse idée de lui faire regarder par la
fenêtre du cabaret, la belle vue de la vallée qu'on
voit tout entière de cette hauteur, et qui est si riante,
si verte et si fertile. Marie regarda et demanda si de
là on voyait les maisons de Belair.

— Sans doute, dit Germain, et la métairie, et
même ta maison. Tiens, ce petit point gris, pas loin
du grand peuplier à Godard, plus bas que le clocher.

— Ah ! je la vois, dit la petite ; et là-dessus elle
recommença de pleurer.

— J'ai eu tort de te faire songer à ça, dit Germain, je ne fais que des bêtises aujourd'hui ! Allons,
Marie, partons, ma fille ; les jours sont cours, et
dans une heure, quand la lune montera, il ne fera
pas chaud.

Ils se remirent en route, traversèrent la grande

brande[1], et comme, pour ne pas fatiguer la jeune
fille et l'enfant par un trop grand trot, Germain ne
pouvait faire aller la Grise bien vite, le soleil était
couché quand ils quittèrent la route pour gagner les
bois.

Germain connaissait le chemin jusqu'au Magnier ;
mais il pensa qu'il aurait plus court en ne prenant
pas l'avenue de Chanteloube, mais en descendant
par Presles et la Sépulture, direction qu'il n'avait
pas l'habitude de prendre quand il allait à la foire. Il
se trompa et perdit encore un peu de temps avant
d'entrer dans le bois ; encore n'y entra-t-il point par
le bon côté, et il ne s'en aperçut pas, si bien qu'il
tourna le dos à Fourche et gagna beaucoup plus haut
du côté d'Ardentes.

Ce qui l'empêchait alors de s'orienter, c'était un
brouillard qui s'élevait avec la nuit, un de ces brouil-
lards des soirs d'automne que la blancheur du clair
de lune rend plus vagues et plus trompeurs encore.
Les grandes flaques d'eau dont les clairières sont
semées exhalaient des vapeurs si épaisses que,
lorsque la Grise les traversait, on ne s'en apercevait
qu'au clapotement de ses pieds et à la peine qu'elle
avait à les tirer de la vase.

Quand on eut enfin trouvé une belle allée bien
droite, et qu'arrivé au bout, Germain chercha à voir
où il était, il s'aperçut bien qu'il s'était perdu ; car

1. *Brande* : lande inculte, où poussent des fougères. Sur la
Brande, voir la Notice, p. 217.

le père Maurice, en lui expliquant son chemin, lui
avait dit qu'à la sortie des bois il aurait à descendre
un bout de côte très raide, à traverser une immense
prairie et à passer deux fois la rivière à gué[1]. Il lui
avait même recommandé d'entrer dans cette rivière
avec précaution, parce qu'au commencement de la
saison il y avait eu de grandes pluies et que l'eau
pouvait être un peu haute. Ne voyant ni descente, ni
prairie, ni rivière, mais la lande unie et blanche
comme une nappe de neige, Germain s'arrêta, chercha une maison, attendit un passant, et ne trouva
rien qui pût le renseigner. Alors il revint sur ses pas
et rentra dans les bois. Mais le brouillard s'épaissit
encore plus, la lune fut tout à fait voilée, les chemins étaient affreux, les fondrières profondes. Par
deux fois, la Grise faillit s'abattre ; chargée comme
elle l'était, elle perdait courage, et si elle conservait
assez de discernement pour ne pas se heurter contre
les arbres, elle ne pouvait empêcher que ceux qui la
montaient n'eussent affaire à de grosses branches,
qui barraient le chemin à la hauteur de leurs têtes et
qui les mettaient fort en danger. Germain perdit son
chapeau dans une de ces rencontres et eut grand'-
peine à le retrouver. Petit-Pierre s'était endormi, et,
se laissant aller comme un sac, il embarrassait tel-

---

1. Dans *La Vallée noire* G. Sand avertit son lecteur : « Bon voyageur, tu tâcheras de ne pas te tromper de chemin, car tu pourrais
courir longtemps avant de trouver l'Indre guéable. » Le passage du
gué deviendra un épisode essentiel de *La Petite Fadette*, chap. VIII
et chap. XII.

lement les bras de son père, que celui-ci ne pouvait plus ni soutenir ni diriger le cheval.

— Je crois que nous sommes ensorcelés, dit Germain en s'arrêtant : car ces bois ne sont pas assez grands pour qu'on s'y perde, à moins d'être ivre, et il y a deux heures au moins que nous y tournons sans pouvoir en sortir. La Grise n'a qu'une idée en tête, c'est de s'en retourner à la maison, et c'est elle qui me fait tromper. Si nous voulons nous en aller chez nous, nous n'avons qu'à la laisser faire. Mais quand nous sommes peut-être à deux pas de l'endroit où nous devons coucher, il faudrait être fou pour y renoncer et recommencer une si longue route. Cependant, je ne sais plus que faire. Je ne vois ni ciel ni terre, et je crains que cet enfant-là ne prenne la fièvre si nous restons dans ce damné brouillard, ou qu'il ne soit écrasé par notre poids si le cheval vient à s'abattre en avant.

— Il ne faut pas nous obstiner davantage, dit la petite Marie. Descendons, Germain ; donnez-moi l'enfant, je le porterai fort bien, et j'empêcherai mieux que vous, que la cape, se dérangeant, ne le laisse à découvert. Vous conduirez la jument par la bride, et nous verrons peut-être plus clair quand nous serons plus près de la terre.

Ce moyen ne réussit qu'à les préserver d'une chute de cheval, car le brouillard rampait et semblait se coller à la terre humide. La marche était pénible, et ils furent bientôt si harassés qu'ils s'arrêtèrent en rencontrant enfin un endroit sec sous de

grands chênes. La petite Marie était en nage, mais
elle ne se plaignait ni ne s'inquiétait de rien. Occupée seulement de l'enfant, elle s'assit sur le sable et
le coucha sur ses genoux, tandis que Germain explo-
rait les environs, après avoir passé les rênes de la
Grise dans une branche d'arbre.

Mais la Grise, qui s'ennuyait fort de ce voyage,
donna un coup de reins, dégagea les rênes, rompit
les sangles, et lâchant, par manière d'acquit, une
demi-douzaine de ruades plus haut que sa tête, partit
à travers les taillis, montrant fort bien qu'elle n'avait
besoin de personne pour retrouver son chemin.

— Çà, dit Germain, après avoir vainement cherché à la rattraper, nous voici à pied, et rien ne nous
servirait de nous trouver dans le bon chemin, car il
nous faudrait traverser la rivière à pied; et à voir
comme ces routes sont pleines d'eau, nous pouvons
être sûrs que la prairie est sous la rivière. Nous ne
connaissons pas les autres passages. Il nous faut
donc attendre que ce brouillard se dissipe; ça ne
peut pas durer plus d'une heure ou deux. Quand
nous verrons clair, nous chercherons une maison, la
première venue à la lisière du bois; mais à présent
nous ne pouvons sortir d'ici; il y a là une fosse, un
étang, je ne sais quoi devant nous; et derrière, je ne
saurais pas non plus dire ce qu'il y a, car je ne
comprends plus par quel côté nous sommes arrivés.

SOUS LES GRANDS CHÊNES

— Eh bien! prenons patience, Germain, dit la petite Marie. Nous ne sommes pas mal sur cette petite hauteur. La pluie ne perce pas la feuillée de ces grands chênes, et nous pouvons allumer du feu, car je sens de vieilles souches qui ne tiennent à rien et qui sont assez sèches pour flamber. Vous avez bien du feu, Germain? Vous fumiez votre pipe tantôt.

— J'en avais! mon briquet était sur le bât dans mon sac, avec le gibier que je portais à ma future; mais la maudite jument a tout emporté, même mon manteau, qu'elle va perdre et déchirer à toutes les branches.

— Non pas, Germain; la bâtine[1], le manteau, le sac, tout est là par terre, à vos pieds. La Grise a cassé les sangles et tout jeté à côté d'elle en partant.

— C'est, vrai Dieu, certain! dit le laboureur; et si nous pouvons trouver un peu de bois mort à tâtons, nous réussirons à nous sécher et à nous réchauffer.

— Ce n'est pas difficile, dit la petite Marie, le

1. *Bâtine* : bât.

bois mort craque partout sous les pieds ; mais donnez-moi d'abord ici la bâtine.

— Qu'en veux-tu faire ?

— Un lit pour le petit : non, pas comme ça, à l'envers ; il ne roulera pas dans la ruelle ; et c'est encore tout chaud du dos de la bête. Calez-moi ça de chaque côté avec ces pierres que vous voyez là !

— Je ne les vois pas, moi ! Tu as donc des yeux de chat !

— Tenez ! voilà qui est fait, Germain. Donnez-moi votre manteau, que j'enveloppe ses petits pieds, et ma cape par-dessus son corps. Voyez ! s'il n'est pas couché là aussi bien que dans son lit ! et tâtez-le comme il a chaud !

— C'est vrai ! tu t'entends à soigner les enfants, Marie !

— Ce n'est pas bien sorcier. À présent, cherchez votre briquet dans votre sac, et je vais arranger le bois.

— Ce bois ne prendra jamais, il est trop humide.

— Vous doutez de tout, Germain ! vous ne vous souvenez donc pas d'avoir été pâtour et d'avoir fait de grands feux aux champs, au beau milieu de la pluie ?

— Oui, c'est le talent des enfants qui gardent les bêtes ; mais moi j'ai été toucheur de bœufs aussitôt que j'ai su marcher.

— C'est pour cela que vous êtes plus fort de vos bras qu'adroit de vos mains. Le voilà bâti ce bûcher, vous allez voir s'il ne flambera pas ! Donnez-moi le

feu et une poignée de fougère sèche. C'est bien !
soufflez à présent ; vous n'êtes pas poumonique[1] ?

— Non pas que je sache, dit Germain en soufflant
comme un soufflet de forge. Au bout d'un instant, la
flamme brilla, jeta d'abord une lumière rouge, et finit
par s'élever en jets bleuâtres sous le feuillage des
chênes, luttant contre la brume et séchant peu à peu
l'atmosphère à dix pieds à la ronde.

— Maintenant, je vais m'asseoir auprès du petit
pour qu'il ne lui tombe pas d'étincelles sur le corps,
dit la jeune fille. Vous, mettez du bois et animez le
feu, Germain ! nous n'attraperons ici ni fièvre ni
rhume, je vous en réponds.

— Ma foi, tu es une fille d'esprit, dit Germain,
et tu sais faire le feu comme une petite sorcière de
nuit. Je me sens tout ranimé et le cœur me revient ;
car avec les jambes mouillées jusqu'aux genoux, et
l'idée de rester comme cela jusqu'au point du jour,
j'étais de fort mauvaise humeur tout à l'heure.

— Et quand on est de mauvaise humeur, on ne
s'avise de rien, reprit la petite Marie.

— Et tu n'es donc jamais de mauvaise humeur,
toi ?

— Eh non ! jamais. À quoi bon ?

— Oh ! ce n'est bon à rien, certainement ; mais le
moyen de s'en empêcher, quand on a des ennuis !
Dieu sait que tu n'en as pas manqué, toi, pourtant, ma
pauvre petite : car tu n'as pas toujours été heureuse !

---

1. *Poumonique* : malade des poumons.

— C'est vrai, nous avons souffert, ma pauvre mère et moi. Nous avions du chagrin, mais nous ne perdions jamais courage.

— Je ne perdrais pas courage pour quelque ouvrage que ce fût, dit Germain ; mais la misère me fâcherait ; car je n'ai jamais manqué de rien. Ma femme m'avait fait riche et je le suis encore ; je le serai tant que je travaillerai à la métairie : ce sera toujours, j'espère ; mais chacun doit avoir sa peine ! J'ai souffert autrement.

— Oui, vous avez perdu votre femme, et c'est grand'pitié.

— N'est-ce pas ?

— Oh ! je l'ai bien pleurée, allez, Germain ! car elle était si bonne ! Tenez, n'en parlons plus ; car je la pleurerais encore, tous mes chagrins sont en train de me revenir aujourd'hui.

— C'est vrai qu'elle t'aimait beaucoup, petite Marie ! elle faisait grand cas de toi et de ta mère. Allons ! tu pleures ? Voyons, ma fille, je ne veux pas pleurer, moi...

— Vous pleurez, pourtant, Germain ! Vous pleurez aussi ! Quelle honte y a-t-il pour un homme à pleurer sa femme ? Ne vous gênez pas, allez ! je suis bien de moitié avec vous dans cette peine-là !

— Tu as bon cœur, Marie, et ça me fait du bien de pleurer avec toi. Mais approche donc tes pieds du feu ; tu as tes jupes toutes mouillées aussi, pauvre petite fille ! Tiens, je vas prendre ta place auprès du petit, chauffe-toi mieux que ça.

— J'ai assez chaud, dit Marie ; et si vous voulez vous asseoir, prenez un coin du manteau, moi je suis très bien.

— Le fait est qu'on n'est pas mal ici, dit Germain en s'asseyant tout auprès d'elle. Il n'y a que la faim qui me tourmente un peu. Il est bien neuf heures du soir, et j'ai eu tant de peine à marcher dans ces mauvais chemins, que je me sens tout affaibli. Est-ce que tu n'as pas faim, aussi, toi, Marie ?

— Moi ? pas du tout. Je ne suis pas habituée, comme vous, à faire quatre repas, et j'ai été tant de fois me coucher sans souper, qu'une fois de plus ne m'étonne guère.

— Eh bien, c'est commode une femme comme toi ; ça ne fait pas de dépense, dit Germain en souriant.

— Je ne suis pas une femme, dit naïvement Marie, sans s'apercevoir de la tournure que prenaient les idées du laboureur. Est-ce que vous rêvez ?

— Oui, je crois que je rêve, répondit Germain ; c'est la faim qui me fait divaguer peut-être !

— Que vous êtes donc gourmand ! reprit-elle en s'égayant un peu à son tour ; eh bien ! si vous ne pouvez pas vivre cinq ou six heures sans manger, est-ce que vous n'avez pas là du gibier dans votre sac et du feu pour le faire cuire ?

— Diantre ! c'est une bonne idée ! mais le présent à mon futur beau-père ?

— Vous avez six perdrix et un lièvre ! Je pense qu'il ne vous faut pas tout cela pour vous rassasier ?

— Mais faire cuire cela ici, sans broche et sans landiers, ça deviendra du charbon !

— Non pas, dit la petite Marie ; je me charge de vous le faire cuire sous la cendre sans goût de fumée. Est-ce que vous n'avez jamais attrapé d'alouettes dans les champs, et que vous ne les avez pas fait cuire entre deux pierres ? Ah ! c'est vrai ! j'oublie que vous n'avez pas été pastour ! Voyons, plumez cette perdrix ! Pas si fort ! vous lui arrachez la peau.

— Tu pourrais bien plumer l'autre pour me montrer !

— Vous voulez donc en manger deux ? Quel ogre ! Allons, les voilà plumées, je vais les cuire.

— Tu ferais une parfaite cantinière, petite Marie ; mais, par malheur, tu n'as pas de cantine[1], et je serai réduit à boire l'eau de cette mare.

— Vous voudriez du vin, pas vrai ? Il vous faudrait peut-être du café ? Vous vous croyez à la foire sous la ramée[2] ! Appelez l'aubergiste : de la liqueur au fin laboureur de Belair !

— Ah ! petite méchante, vous vous moquez de moi ? Vous ne boiriez pas du vin, vous, si vous en aviez ?

— Moi ? J'en ai bu ce soir avec vous chez la Rebec, pour la seconde fois de ma vie ; mais si vous

---

1. *Cantine* : caisse pour transporter des provisions, spécialement des bouteilles.
2. *Ramée* : assemblage de branches formant une tonnelle, restaurant champêtre.

êtes bien sage, je vais vous en donner une bouteille quasi pleine, et du bon encore !

— Comment, Marie, tu es donc sorcière, décidément ?

— Est-ce que vous n'avez pas fait la folie de demander deux bouteilles de vin à la Rebec ? Vous en avez bu une avec votre petit, et j'ai à peine avalé trois gouttes de celle que vous aviez mise devant moi. Cependant vous les aviez payées toutes les deux sans y regarder.

— Eh bien ?

— Eh bien, j'ai mis dans mon panier celle qui n'avait pas été bue, parce que j'ai pensé que vous ou votre petit auriez soif en route, et la voilà.

— Tu es la fille la plus avisée que j'aie jamais rencontrée. Voyez ! elle pleurait pourtant, cette pauvre enfant en sortant de l'auberge ! ça ne l'a pas empêchée de penser aux autres plus qu'à elle-même. Petite Marie, l'homme qui t'épousera ne sera pas sot.

— Je l'espère, car je n'aimerais pas un sot. Allons, mangez vos perdrix, elles sont cuites à point ; et faute de pain, vous vous contenterez de châtaignes.

— Et où diable as-tu pris aussi des châtaignes ?

— C'est bien étonnant ! tout le long du chemin, j'en ai pris aux branches en passant, et j'en ai rempli mes poches.

— Et elles sont cuites aussi ?

— À quoi donc aurais-je eu l'esprit si je ne les avait pas mises dans le feu dès qu'il a été allumé ? Ça se fait toujours, aux champs.

— Ah ça, petite Marie, nous allons souper ensemble ! je veux boire à ta santé et te souhaiter un bon mari… là, comme tu le souhaiterais toi-même. Dis-moi un peu cela !

— J'en serais fort empêchée, Germain, car je n'y ai pas encore songé.

— Comment, pas du tout ? jamais ? dit Germain, en commençant à manger avec un appétit de laboureur, mais coupant les meilleurs morceaux pour les offrir à sa compagne, qui refusa obstinément et se contenta de quelques châtaignes. Dis-moi donc, petite Marie, reprit-il, voyant qu'elle ne songeait pas à lui répondre, tu n'as pas encore eu l'idée du mariage ? tu es en âge pourtant !

— Peut-être, dit-elle ; mais je suis trop pauvre. Il faut au moins cent écus pour entrer en ménage, et je dois travailler cinq ou six ans pour les amasser.

— Pauvre fille ! je voudrais que le père Maurice voulût bien me donner cent écus pour t'en faire cadeau.

— Grand merci, Germain. Eh bien ! qu'est-ce qu'on dirait de moi ?

— Que veux-tu qu'on dise ? on sait bien que je suis vieux et que je ne peux pas t'épouser. Alors on ne supporterait pas que je… que tu…

— Dites donc, laboureur ! voilà votre enfant qui se réveille, dit la petite Marie.

LA PRIÈRE DU SOIR

Petit-Pierre s'était soulevé et regardait autour de lui d'un air pensif.

— Ah! il n'en fait jamais d'autre quand il entend manger, celui-là! dit Germain : le bruit du canon ne le réveillerait pas; mais quand on remue les mâchoires auprès de lui, il ouvre les yeux tout de suite.

— Vous avez dû être comme ça à son âge, dit la petite Marie avec un sourire malin. Allons, mon petit Pierre, tu cherches ton ciel de lit ? Il est fait de verdure, ce soir, mon enfant; mais ton père n'en soupe pas moins. Veux-tu souper avec lui ? Je n'ai pas mangé ta part; je me doutais bien que tu la réclamerais !

— Marie, je veux que tu manges, s'écria le laboureur, je ne mangerai plus. Je suis un vorace, un grossier : toi, tu te prives pour nous, ce n'est pas juste, j'en ai honte. Tiens, ça m'ôte la faim; je ne veux pas que mon fils soupe, si tu ne soupes pas.

— Laissez-nous tranquilles, répondit la petite Marie, vous n'avez pas la clef de nos appétits. Le mien est fermé aujourd'hui, mais celui de votre Pierre est ouvert comme celui d'un petit loup. Tenez, voyez comme il s'y prend ! Oh ! ce sera aussi un rude laboureur !

En effet, Petit-Pierre montra bientôt de qui il était fils, et à peine éveillé, ne comprenant ni où il était, ni comment il y était venu, il se mit à dévorer. Puis, quand il n'eut plus faim, se trouvant excité comme il arrive aux enfants qui rompent leurs habitudes il eut plus d'esprit, plus de curiosité et plus de raisonnement qu'à l'ordinaire. Il se fit expliquer où il était, et quand il sut que c'était au milieu d'un bois, il eut un peu peur.

— Y a-t-il des méchantes bêtes dans ce bois ? demanda-t-il à son père.

— Non, fit le père, il n'y en a point. Ne crains rien.

— Tu as donc menti quand tu m'as dit que si j'allais avec toi dans les grands bois les loups m'emporteraient ?

— Voyez-vous ce raisonneur ? dit Germain embarrassé.

— Il a raison, reprit la petite Marie, vous lui avez dit cela : il a bonne mémoire, il s'en souvient. Mais apprends, mon petit Pierre, que ton père ne ment jamais. Nous avons passé les grands bois pendant que tu dormais, et nous sommes à présent dans les petits bois, où il n'y a pas de méchantes bêtes.

— Les petits bois sont-ils bien loin des grands ?

— Assez loin ; d'ailleurs les loups ne sortent pas

des grands bois. Et puis, s'il en venait ici, ton père les tuerait.

— Et toi aussi, petite Marie ?

— Et nous aussi, car tu nous aiderais bien, mon Pierre ? Tu n'as pas peur, toi ? Tu taperais bien dessus !

— Oui, oui, dit l'enfant enorgueilli, en prenant une pose héroïque, nous les tuerions !

— Il n'y a personne comme toi pour parler aux enfants, dit Germain à la petite Marie, et pour leur faire entendre raison. Il est vrai qu'il n'y a pas longtemps que tu étais toi-même un petit enfant et tu te souviens de ce que te disait ta mère. Je crois bien que plus on est jeune, mieux on s'entend avec ceux qui le sont. J'ai grand'peur qu'une femme de trente ans, qui ne sait pas encore ce que c'est que d'être mère, n'apprenne avec peine à babiller et à raisonner avec des marmots.

— Pourquoi donc pas, Germain ? Je ne sais pourquoi vous avez une mauvaise idée touchant cette femme ; vous en reviendrez !

— Au diable la femme ! dit Germain. Je voudrais en être revenu pour n'y plus retourner. Qu'ai-je besoin d'une femme que je ne connais pas ?

— Mon petit père, dit l'enfant, pourquoi donc est-ce que tu parles toujours de ta femme aujourd'hui puisqu'elle est morte ?...

— Hélas ! tu ne l'as donc pas oubliée, toi, ta pauvre chère mère ?

— Non, puisque je l'ai vu mettre dans une belle

boîte de bois blanc, et que ma grand'mère m'a
conduit auprès pour l'embrasser et lui dire adieu !...
Elle était toute blanche et toute froide, et tous les
soirs ma tante me fait prier le bon Dieu pour qu'elle
aille se réchauffer avec lui dans le ciel. Crois-tu
qu'elle y soit, à présent ?

— Je l'espère, mon enfant ; mais il faut toujours
prier, ça fait voir à ta mère que tu l'aimes.

— Je vas dire ma prière, reprit l'enfant ; je n'ai
pas pensé à la dire ce soir. Mais je ne peux pas la
dire tout seul ; j'en oublie toujours un peu. Il faut
que la petite Marie m'aide.

— Oui, mon Pierre, je vas t'aider, dit la jeune
fille. Viens là, te mettre à genoux sur moi.

L'enfant s'agenouilla sur la jupe de la jeune fille,
joignit ses petites mains, et se mit à réciter sa prière,
d'abord avec attention et ferveur, car il savait très
bien le commencement ; puis avec plus de lenteur et
d'hésitation, et enfin répétant mot à mot ce que lui
dictait la petite Marie, lorsqu'il arriva à cet endroit
de son oraison, où le sommeil le gagnant chaque
soir, il n'avait jamais pu l'apprendre jusqu'au bout.
Cette fois encore, le travail de l'attention et la
monotonie de son propre accent produisirent leur
effet accoutumé, il ne prononça plus qu'avec effort
les dernières syllabes, et encore après se les être fait
répéter trois fois ; sa tête s'appesantit et se pencha
sur la poitrine de Marie : ses mains se détendirent, se
séparèrent et retombèrent ouvertes sur ses genoux. À
la lueur du feu du bivouac, Germain regarda son

petit ange assoupi sur le cœur de la jeune fille, qui, le soutenant dans ses bras et réchauffant ses cheveux blonds de sa pure haleine, s'était laissée aller aussi à une rêverie pieuse et priait mentalement pour l'âme de Catherine.

Germain fut attendri, chercha ce qu'il pourrait dire à la petite Marie pour lui exprimer ce qu'elle lui inspirait d'estime et de reconnaissance, mais ne trouva rien qui pût rendre sa pensée. Il s'approcha d'elle pour embrasser son fils qu'elle tenait toujours pressé contre son sein, et il eut peine à détacher ses lèvres du front du petit Pierre.

— Vous l'embrassez trop fort, lui dit Marie en repoussant doucement la tête du laboureur, vous allez le réveiller. Laissez-moi le recoucher, puisque le voilà reparti pour les rêves du paradis.

L'enfant se laissa coucher, mais en s'étendant sur la peau de chèvre du bât, il demanda s'il était sur la Grise. Puis, ouvrant ses grands yeux bleus, et les tenant fixés vers les branches pendant une minute, il parut rêver tout éveillé, ou être frappé d'une idée qui avait glissé dans son esprit durant le jour, et qui s'y formulait à l'approche du sommeil. — Mon petit père, dit-il, si tu veux me donner une autre mère, je veux que ce soit la petite Marie.

Et sans attendre de réponse, il ferma les yeux et s'endormit.

X

MALGRÉ LE FROID

La petite Marie ne parut pas faire d'autre attention aux paroles bizarres de l'enfant que de les regarder comme une parole d'amitié ; elle l'enveloppa avec soin, ranima le feu, et, comme le brouillard endormi sur la mare voisine ne paraissait nullement près de s'éclaircir, elle conseilla à Germain de s'arranger auprès du feu pour faire un somme.

Je vois que cela vous vient déjà, lui dit-elle, car vous ne dites plus mot, et vous regardez la braise comme votre petit faisait tout à l'heure. Allons, dormez, je veillerai à l'enfant et à vous.

— C'est toi qui dormiras, répondit le laboureur, et moi je vous garderai tous les deux, car jamais je n'ai eu moins envie de dormir ; j'ai cinquante idées dans la tête.

— Cinquante, c'est beaucoup, dit la fillette avec une intention un peu moqueuse ; il y a tant de gens qui seraient heureux d'en avoir une !

— Eh bien, si je ne suis pas capable d'en avoir cinquante, j'en ai du moins une qui ne me lâche pas depuis une heure.

— Et je vas vous la dire, ainsi que celles que vous aviez auparavant.

— Eh bien ! oui, dis-la si tu la devines, Marie ; dis-la-moi toi-même, ça me fera plaisir.

— Il y a une heure, reprit-elle, vous aviez l'idée de manger… et à présent vous avez l'idée de dormir.

— Marie, je ne suis qu'un bouvier, mais vraiment tu me prends pour un bœuf. Tu es une méchante fille, et je vois bien que tu ne veux point causer avec moi. Dors donc, cela vaudra mieux que de critiquer un homme qui n'est pas gai.

— Si vous voulez causer, causons, dit la petite fille en se couchant à demi auprès de l'enfant, et en appuyant sa tête contre le bât. Vous êtes en train de vous tourmenter, Germain, et en cela vous ne montrez pas beaucoup de courage pour un homme. Que ne dirais-je pas, moi, si je ne me défendais pas de mon mieux contre mon propre chagrin ?

— Oui, sans doute, et c'est là justement ce qui m'occupe, ma pauvre enfant ! Tu vas vivre loin de tes parents et dans un vilain pays de landes et de marécages, où tu attraperas les fièvres d'automne, où les bêtes à laine ne profitent pas, ce qui chagrine toujours une bergère qui a bonne intention ; enfin tu seras au milieu d'étrangers qui ne seront peut-être pas bons pour toi, qui ne comprendront pas ce que tu vaux. Tiens, ça me fait plus de peine que je ne peux te le dire, et j'ai envie de te ramener chez ta mère au lieu d'aller à Fourche.

— Vous parlez avec beaucoup de bonté, mais

sans raison, mon pauvre Germain ; on ne doit pas être lâche pour ses amis, et au lieu de me montrer le mauvais côté de mon sort, vous devriez m'en montrer le bon, comme vous faisiez quand nous avons goûté chez la Rebec.

— Que veux-tu ! ça me paraissait ainsi dans ce moment-là, et à présent ça me paraît autrement. Tu ferais mieux de trouver un mari.

— Ça ne se peut pas, Germain, je vous l'ai dit ; et comme ça ne se peut pas, je n'y pense pas.

— Mais enfin si ça se trouvait ? Peut-être que si tu voulais me dire comment tu souhaiterais qu'il fût, je parviendrais à imaginer quelqu'un.

— Imaginer n'est pas trouver. Moi, je n'imagine rien puisque c'est inutile.

— Tu n'aurais pas l'idée de trouver un riche ?

— Non, bien sûr, puisque je suis pauvre comme Job.

— Mais s'il était à son aise, ça ne te ferait pas de peine d'être bien logée, bien nourrie, bien vêtue et dans une famille de braves gens qui te permettraient d'assister ta mère ?

— Oh ! pour cela, oui ! assister ma mère est tout mon souhait.

— Et si cela se rencontrait, quand même l'homme ne serait pas de la première jeunesse, tu ne ferais pas trop la difficile ?

— Ah ! pardonnez-moi, Germain. C'est justement la chose à laquelle je tiendrais. Je n'aimerais pas un vieux.

— Un vieux, sans doute ; mais, par exemple, un homme de mon âge ?

— Votre âge est vieux pour moi, Germain ; j'aimerais l'âge de Bastien, quoique Bastien ne soit pas si joli homme que vous.

— Tu aimerais mieux Bastien le porcher ? dit Germain avec humeur. Un garçon qui a les yeux faits comme les bêtes qu'il mène ?

— Je passerais par-dessus ses yeux, à cause de ses dix-huit ans.

Germain se sentit horriblement jaloux. — Allons, dit-il, je vois que tu en tiens pour Bastien. C'est une drôle d'idée, pas moins !

— Oui, ce serait une drôle d'idée, répondit la petite Marie en riant aux éclats, et ça ferait un drôle de mari. On lui ferait accroire tout ce qu'on voudrait. Par exemple, l'autre jour, j'avais ramassé une tomate dans le jardin à monsieur le curé ; je lui ai dit que c'était une belle pomme rouge, et il a mordu dedans comme un goulu. Si vous aviez vu quelle grimace ! Mon Dieu, qu'il était vilain !

— Tu ne l'aimes donc pas, puisque tu te moques de lui ?

— Ce ne serait pas une raison. Mais je ne l'aime pas : il est brutal avec sa petite sœur, et il est malpropre.

— Eh bien ! tu ne te sens pas portée pour quelque autre ?

— Qu'est-ce que ça vous fait, Germain ?

— Ça ne me fait rien, c'est pour parler. Je vois, petite fille, que tu as déjà un galant dans la tête.

— Non, Germain, vous vous trompez, je n'en ai pas encore ; ça pourra venir plus tard : mais puisque je ne me marierai que quand j'aurai un peu amassé, je suis destinée à me marier tard et avec un vieux.

— Eh bien, prends-en un vieux tout de suite.

— Non pas ! quand je ne serai plus jeune, ça me sera égal ; à présent, ce serait différent.

— Je vois bien, Marie, que je te déplais : c'est assez clair, dit Germain avec dépit, et sans peser ses paroles.

La petite Marie ne répondit pas. Germain se pencha vers elle : elle dormait ; elle était tombée vaincue et comme foudroyée par le sommeil, comme font les enfants qui dorment déjà lorsqu'ils babillent encore.

Germain fut content qu'elle n'eût pas fait attention à ses dernières paroles ; il reconnut qu'elles n'étaient point sages, et il lui tourna le dos pour se distraire et changer de pensée.

Mais il eut beau faire, il ne put s'endormir, ni songer à autre chose qu'à ce qu'il venait de dire. Il tourna vingt fois autour du feu, il s'éloigna, il revint ; enfin, se sentant aussi agité que s'il eût avalé de la poudre à canon, il s'appuya contre l'arbre qui abritait les deux enfants et les regarda dormir.

— Je ne sais pas comment je ne m'étais jamais aperçu, pensait-il, que cette petite Marie est la plus jolie fille du pays !… Elle n'a pas beaucoup de couleur, mais elle a un petit visage frais comme une rose de buissons! Quelle gentille bouche et quel mignon petit nez!... Elle n'est pas grande pour son âge, mais elle est faite comme une petite caille et légère comme un petit pinson!... Je ne sais pas pourquoi on fait tant de cas chez nous d'une grande et grosse femme bien vermeille... La mienne était plutôt mince et pâle, et elle me plaisait par-dessus tout... Celle-ci est toute délicate, mais elle ne s'en porte pas plus mal, et elle est jolie à voir comme un chevreau blanc!... Et puis, quel air doux et honnête! comme on lit son bon cœur dans ses yeux, même lorsqu'ils sont fermés pour dormir!... Quant à de l'esprit, elle en a plus que ma chère Catherine n'en avait, il faut en convenir, et on ne s'ennuierait pas avec elle... C'est gai, c'est sage, c'est laborieux, c'est aimant, et c'est drôle. Je ne vois pas ce qu'on pourrait souhaiter de mieux...

Mais qu'ai-je à m'occuper de tout cela? reprenait Germain, en tâchant de regarder d'un autre côté. Mon beau-père ne voudrait pas en entendre parler, et toute la famille me traiterait de fou!... D'ailleurs, elle-même ne voudrait pas de moi, la pauvre enfant!... Elle me trouve trop vieux, elle me l'a dit... Elle n'est pas intéressée, elle se soucie peu d'avoir encore de la misère et de la peine, de porter de pauvres habits, et de souffrir de la faim pendant deux ou trois mois de l'année, pourvu qu'elle contente son cœur un jour, et qu'elle puisse se donner à un mari qui lui plaira... elle a raison, elle ! je ferais de même à sa place… et, dès à présent, si je pouvais suivre ma volonté, au lieu de m'embarquer dans un mariage qui ne me sourit pas, je choisirais une fille à mon gré…

Plus Germain cherchait à raisonner et à se calmer, moins il en venait à bout. Il s'en allait à vingt pas de là, se perdre dans le brouillard ; et puis, tout d'un coup, il se retrouvait à genoux à côté des deux enfants endormis. Une fois même il voulut embrasser Petit-Pierre, qui avait un bras passé autour du cou de Marie, et il se trompa si bien que Marie, sentant une haleine chaude comme le feu courir sur ses lèvres, se réveilla et le regarda d'un air tout effaré, ne comprenant rien du tout à ce qui se passait en lui.

— Je ne vous voyais pas, mes pauvres enfants ! dit Germain en se retirant bien vite. J'ai failli tomber sur vous et vous faire du mal.

La petite Marie eut la candeur de le croire, et se rendormit. Germain passa de l'autre côté du feu et jura à Dieu qu'il n'en bougerait jusqu'à ce qu'elle fût réveillée. Il tint parole, mais ce ne fut pas sans peine. Il crut qu'il en deviendrait fou.

Enfin, vers minuit, le brouillard se dissipa, et Germain put voir les étoiles briller à travers les arbres. La lune se dégagea aussi des vapeurs qui la couvraient et commença à semer des diamants sur la mousse humide. Le tronc des chênes restait dans une majestueuse obscurité ; mais, un peu plus loin, les tiges blanches des bouleaux semblaient une ran-

gée de fantômes dans leurs suaires. Le feu se reflé-
tait dans la mare ; et les grenouilles, commençant à
s'y habituer, hasardaient quelques notes grêles et
timides, les branches anguleuses des vieux arbres,
hérissées de pâles lichens, s'étendaient et s'entre-
croisaient comme de grands bras décharnés sur la
tête de nos voyageurs ; c'était un bel endroit, mais
si désert et si triste, que Germain, las d'y souffrir,
se mit à chanter et à jeter des pierres dans l'eau
pour s'étourdir sur l'ennui effrayant de la solitude.
Il désirait aussi éveiller la petite Marie ; et lorsqu'il
vit qu'elle se levait et regardait le temps, il lui pro-
posa de se remettre en route.

— Dans deux heures, lui dit-il, l'approche du
jour rendra l'air si froid, que nous ne pourrons plus
y tenir, malgré notre feu… À présent, on voit à se
conduire, et nous trouverons bien une maison qui
nous ouvrira, ou du moins quelque grange où nous
pourrons passer à couvert le reste de la nuit.

Marie n'avait pas de volonté ; et, quoiqu'elle eût
encore grande envie de dormir, elle se disposa à
suivre Germain.

Celui-ci prit son fils dans ses bras sans le réveiller,
et voulut que Marie s'approchât de lui pour se
cacher dans son manteau, puisqu'elle ne voulait pas
reprendre sa cape roulée autour du petit Pierre.

Quand il sentit la jeune fille si près de lui, Germain, qui s'était distrait et égayé un instant, recommença à perdre la tête. Deux ou trois fois il
s'éloigna brusquement, et la laissa marcher seule.

Puis voyant qu'elle avait peine à le suivre, il l'attendait, l'attirait vivement près de lui, et la pressait si fort, qu'elle en était étonnée et même fâchée sans oser le dire.

Comme ils ne savaient point du tout de quelle direction ils étaient partis, ils ne savaient pas celle qu'ils suivaient; si bien qu'ils remontèrent encore une fois tout le bois, se retrouvèrent, de nouveau, en face de la lande déserte, revinrent sur leurs pas, et, après avoir tourné et marché longtemps, ils aperçurent de la clarté à travers les branches.

— Bon! voici une maison, dit Germain, et des gens déjà éveillés, puisque le feu est allumé. Il est donc bien tard?

Mais ce n'était pas une maison : c'était le feu de bivouac qu'ils avaient couvert en partant, et qui s'était rallumé à la brise…

Ils avaient marché pendant deux heures pour se retrouver au point de départ.

À LA BELLE ÉTOILE

— Pour le coup j'y renonce ! dit Germain en frappant du pied. On nous a jeté un sort, c'est bien sûr, et nous ne sortirons d'ici qu'au grand jour. Il faut que cet endroit soit endiablé.

— Allons, allons, ne nous fâchons pas, dit Marie, et prenons-en notre parti. Nous ferons un plus grand feu, l'enfant est si bien enveloppé qu'il ne risque rien, et pour passer une nuit dehors nous n'en mourrons point. Où avez-vous caché la bâtine, Germain ? Au milieu des houx, grand étourdi ! C'est commode pour aller la reprendre !

— Tiens l'enfant, prends-le que je retire son lit des broussailles ; je ne veux pas que tu te piques les mains.

— C'est fait, voici le lit, et quelques piqûres ne sont pas des coups de sabre, reprit la brave petite fille.

Elle procéda de nouveau au coucher du petit Pierre, qui était si bien endormi cette fois qu'il ne s'aperçut en rien de ce nouveau voyage. Germain mit tant de bois au feu que toute la forêt en res-

plendit à la ronde : mais la petite Marie n'en pouvait plus, et quoiqu'elle ne se plaignît de rien, elle
ne se soutenait plus sur ses jambes. Elle était pâle et
ses dents claquaient de froid et de faiblesse. Germain la prit dans ses bras pour la réchauffer ; et
l'inquiétude, la compassion, des mouvements de
tendresse irrésistible s'emparant de son cœur, firent
taire ses sens. Sa langue se délia comme par miracle,
et toute honte cessant :

— Marie, lui dit-il, tu me plais, et je suis bien
malheureux de ne pas te plaire. Si tu voulais m'accepter pour ton mari, il n'y aurait ni beau-père, ni
parents, ni voisins, ni conseils qui pussent m'empêcher de me donner à toi. Je sais que tu rendrais mes
enfants heureux, que tu leur apprendrais à respecter
le souvenir de leur mère, et, ma conscience étant en
repos, je pourrais contenter mon cœur. J'ai toujours
eu de l'amitié pour toi, et à présent je me sens si
amoureux que si tu me demandais de faire toute ma
vie tes mille volontés, je te le jurerais sur l'heure.
Vois, je t'en prie, comme je t'aime, et tâche d'oublier mon âge. Pense que c'est une fausse idée qu'on
se fait quand on croit qu'un homme de trente ans est
vieux. D'ailleurs je n'ai que vingt-huit ans ! une
jeune fille craint de se faire critiquer en prenant un
homme qui a dix ou douze ans de plus qu'elle, parce
que ce n'est pas la coutume du pays ; mais j'ai
entendu dire que dans d'autres pays on ne regardait
point à cela ; qu'au contraire on aimait mieux donner
pour soutien, à une jeunesse, un homme raisonnable

et d'un courage bien éprouvé qu'un jeune gars qui
peut se déranger, et, de bon sujet qu'on le croyait,
devenir un mauvais garnement. D'ailleurs, les années
ne font pas toujours l'âge. Cela dépend de la force et
de la santé qu'on a. Quand un homme est usé par trop
de travail et de misère ou par la mauvaise conduite, il
est vieux avant vingt-cinq ans. Au lieu que moi...
Mais tu ne m'écoutes pas, Marie.

— Si fait, Germain, je vous entends bien, répondit la petite Marie, mais je songe à ce que m'a toujours dit ma mère : c'est qu'une femme de soixante
ans est bien à plaindre quand son mari en a soixante-
dix ou soixante-quinze, et qu'il ne peut plus travailler pour la nourrir. Il devient infirme, et il faut
qu'elle le soigne à l'âge où elle commencerait elle-
même à avoir grand besoin de ménagement et de
repos. C'est ainsi qu'on arrive à finir sur la paille.

— Les parents ont raison de dire cela, j'en
conviens, Marie, reprit Germain ; mais enfin ils sacri-
fieraient tout le temps d'une jeunesse, qui est le
meilleur, à prévoir ce qu'on deviendra à l'âge où l'on
n'est plus bon à rien, et où il est indifférent de finir
d'une manière ou d'une autre. Mais moi, je ne suis pas
dans le danger de mourir de faim sur mes vieux jours.
Je suis à même d'amasser quelque chose, puisque,
vivant avec les parents de ma femme, je travaille
beaucoup et ne dépense rien. D'ailleurs, je t'aimerai
tant, vois-tu, que ça m'empêchera de vieillir. On dit
que quand un homme est heureux, il se conserve, et je
sens bien que je suis plus jeune que Bastien pour t'ai-

mer; car il ne t'aime pas, lui, il est trop bête, trop
enfant pour comprendre comme tu es jolie et bonne, et
faite pour être recherchée. Allons, Marie, ne me
déteste pas, je ne suis pas un méchant homme : j'ai
rendu ma Catherine heureuse, elle a dit devant Dieu à
son lit de mort qu'elle n'avait jamais eu de moi que du
contentement, et elle m'a recommandé de me remarier. Il semble que son esprit ait parlé ce soir à son
enfant, au moment où il s'est endormi. Est-ce que tu
n'as pas entendu ce qu'il disait ? et comme sa petite
bouche tremblait, pendant que ses yeux regardaient en
l'air quelque chose que nous ne pouvions pas voir ! Il
voyait sa mère, sois-en sûre, et c'était elle qui lui faisait dire qu'il te voulait pour la remplacer.

— Germain, répondit Marie, tout étonnée et
toute pensive, vous parlez honnêtement et tout ce
que vous dites est vrai. Je suis sûre que je ferais
bien de vous aimer, si ça ne mécontentait pas trop
vos parents : mais que voulez-vous que j'y fasse ?
le cœur ne m'en dit pas pour vous. Je vous aime
bien, mais quoique votre âge ne vous enlaidisse
pas, il me fait peur. Il me semble que vous êtes
quelque chose pour moi, comme un oncle ou un
parrain ; que je vous dois le respect, et que vous
auriez des moments où vous me traiteriez comme
une petite fille plutôt que comme votre femme et
votre égale. Enfin, mes camarades se moqueraient
peut-être de moi, et quoique ça soit une sottise de
faire attention à cela, je crois que je serais honteuse
et un peu triste le jour de mes noces.

— Ce sont là des raisons d'enfant ; tu parles tout
à fait comme un enfant, Marie !

— Eh bien ! oui, je suis un enfant, dit-elle, et
c'est à cause de cela que je crains un homme trop
raisonnable. Vous voyez bien que je suis trop jeune
pour vous, puisque déjà vous me reprochez de parler sans raison ! Je ne puis pas avoir plus de raison
que mon âge n'en comporte.

— Hélas ! mon Dieu, que je suis donc à plaindre
d'être si maladroit et de dire si mal ce que je pense !
s'écria Germain. Marie, vous ne m'aimez pas, voilà
le fait ; vous me trouvez trop simple et trop lourd. Si
vous m'aimiez un peu, vous ne verriez pas si clairement mes défauts. Mais vous ne m'aimez pas, voilà !

— Eh bien ! ce n'est pas ma faute, répondit-elle,
un peu blessée de ce qu'il ne la tutoyait plus ; j'y
fais mon possible en vous écoutant, mais plus je
m'y essaie et moins je peux me mettre dans la tête
que nous devions être mari et femme.

Germain ne répondit pas. Il mit sa tête dans ses
deux mains et il fut impossible à la petite Marie de
savoir s'il pleurait, s'il boudait, ou s'il était endormi.
Elle fut un peu inquiète de le voir si morne et de ne
pas deviner ce qui roulait dans son esprit ; mais elle
n'osa pas lui parler davantage, et comme elle était
trop étonnée de ce qui venait de se passer pour
avoir envie de se rendormir, elle attendit le jour
avec impatience, soignant toujours le feu et veillant
l'enfant dont Germain paraissait ne plus se souvenir Cependant Germain ne dormait point ; il ne

réfléchissait pas à son sort et ne faisait ni projets de courage, ni plans de séduction. Il souffrait, il avait une montagne d'ennui sur le cœur. Il aurait voulu être mort. Tout paraissait devoir tourner mal pour lui, et s'il eût pu pleurer il ne l'aurait pas fait à demi. Mais il y avait un peu de colère contre lui-même, mêlée à sa peine, et il étouffait sans pouvoir et sans vouloir se plaindre.

Quand le jour fut venu et que les bruits de la campagne l'annoncèrent à Germain, il sortit son visage de ses mains et se leva. Il vit que la petite Marie n'avait pas dormi non plus, mais il ne sut rien lui dire pour marquer sa sollicitude. Il était tout à fait découragé. Il cacha de nouveau le bât de la Grise dans les buissons, prit son sac sur son épaule, et tenant son fils par la main :

— À présent, Marie, dit-il, nous allons tâcher d'achever notre voyage. Veux-tu que je te conduise aux Ormeaux ?

— Nous sortirons du bois ensemble, lui répondit-elle, et quand nous saurons où nous sommes, nous irons chacun de notre côté.

Germain ne répondit pas. Il était blessé de ce que la jeune fille ne lui demandait pas de la mener jusqu'aux Ormeaux, et il ne s'apercevait pas qu'il le lui avait offert d'un ton qui semblait provoquer un refus.

Un bûcheron qu'ils rencontrèrent au bout de deux cents pas les mit dans le bon chemin, et leur dit qu'après avoir passé la grande prairie ils n'avaient qu'à prendre, l'un tout droit, l'autre sur la gauche, pour gagner leurs différents gîtes, qui étaient d'ailleurs si voisins qu'on voyait distinctement les maisons de Fourche de la ferme des Ormeaux, et réciproquement.

Puis, quand ils eurent remercié et dépassé le bûcheron, celui-ci les rappela pour leur demander s'ils n'avaient pas perdu un cheval.

— J'ai trouvé, leur dit-il, une belle jument grise dans ma cour, où peut-être le loup l'aura forcée de chercher un refuge. Mes chiens ont *jappé à nuitée*[1], et au point du jour j'ai vu la bête chevaline sous mon hangar ; elle y est encore. Allons-y, et si vous la reconnaissez, emmenez-la.

Germain ayant donné d'avance le signalement de la Grise et s'étant convaincu qu'il s'agissait bien d'elle, se mit en route pour aller rechercher son bât. La petite Marie lui offrit alors de conduire son enfant aux Ormeaux, où il viendrait le reprendre lorsqu'il aurait fait son entrée à Fourche.

— Il est un peu malpropre après la nuit que nous avons passée, dit-elle. Je nettoierai ses habits, je laverai son joli museau, je le peignerai, et quand il sera beau et brave[2], vous pourrez le présenter à votre nouvelle famille.

— Et qui te dit que je veuille aller à Fourche ? répondit Germain avec humeur. Peut-être n'irai-je pas ?

1. *Jappé à nuitée* : aboyé toute la nuit.
2. *Brave* : bien habillé.

— Si fait, Germain, vous devez y aller, vous irez, reprit la jeune fille.

— Tu es bien pressée que je me marie avec une autre, afin d'être sûre que je ne t'ennuierai plus ?

— Allons, Germain, ne pensez plus à cela : c'est une idée qui vous est venue dans la nuit, parce que cette mauvaise aventure avait un peu dérangé vos esprits. Mais à présent il faut que la raison vous revienne ; je vous promets d'oublier ce que vous m'avez dit et de n'en jamais parler à personne.

— Eh ! parles-en si tu veux. Je n'ai pas l'habitude de renier mes paroles. Ce que je t'ai dit était vrai, honnête, et je n'en rougirai devant personne.

— Oui ; mais si votre femme savait qu'au moment d'arriver, vous avez pensé à une autre, ça la disposerait mal pour vous. Ainsi faites attention aux paroles que vous direz maintenant ; ne me regardez pas comme ça devant le monde avec un air tout singulier. Songez au père Maurice qui compte sur votre obéissance, et qui serait bien en colère contre moi si je vous détournais de faire sa volonté. Bonjour, Germain ; j'emmène Petit-Pierre afin de vous forcer d'aller à Fourche. C'est un gage que je vous garde.

— Tu veux donc aller avec elle ? dit le laboureur à son fils, en voyant qu'il s'attachait aux mains de la petite Marie, et qu'il la suivait résolument.

— Oui, père, répondit l'enfant qui avait écouté et compris à sa manière ce qu'on venait de dire sans méfiance devant lui. Je m'en vais avec ma Marie mignonne : tu viendras me chercher quand tu

auras fini de te marier ; mais je veux que Marie reste
ma petite mère.

— Tu vois bien qu'il le veut, lui ! dit Germain à
la jeune fille. Écoute, Petit-Pierre, ajouta-t-il, moi
je le souhaite, qu'elle soit ta mère et qu'elle reste
toujours avec toi ; c'est elle qui ne le veut pas.
Tâche qu'elle t'accorde ce qu'elle me refuse.

— Sois tranquille, mon père, je lui ferai dire
oui : ma petite Marie fait toujours ce que je veux.

Il s'éloigna avec la jeune fille. Germain resta
seul, plus triste, plus irrésolu que jamais.

LA LIONNE[1] DU VILLAGE

Cependant, quand il eut réparé le désordre du voyage dans ses vêtements et dans l'équipage de son cheval, quand il fut monté sur la Grise et qu'on lui eut indiqué le chemin de Fourche, il pensa qu'il n'y avait plus à reculer, et qu'il fallait oublier cette nuit d'agitations comme un rêve dangereux.

Il trouva le père Léonard au seuil de sa maison blanche, assis sur un beau banc de bois peint en vert épinard. Il y avait six marches de pierre disposées en perron, ce qui faisait voir que la maison avait une cave. Le mur du jardin et de la chènevière[2] était crépi à chaux et à sable. C'était une belle habita-

1. La *lionne* du village, titre ironique puisqu'on appelait, sous Louis-Philippe, lions et lionnes ceux et celles qui à Paris se singularisaient par leur élégance et leur conduite : les lions du boulevard de Gand.
2. Une *chènevière* est un champ où l'on cultive le chanvre (on dit aussi canebière). Tous les paysans avaient leur chènevière et le chanvre était filé et tissé à domicile. La préparation du chanvre donnait lieu à des opérations multiples. Le chanvreur, qui broyait le chanvre, était souvent un beau parleur qui pendant les soirées de labeur divertissait le groupe par ses récits. Il est devenu pour G. Sand une sorte de barde.

tion ; il s'en fallait de peu qu'on ne la prît pour une maison de bourgeois.

Le futur beau-père vint au-devant de Germain, et après lui avoir demandé, pendant cinq minutes, des nouvelles de toute sa famille, il ajouta la phrase consacrée à questionner poliment ceux qu'on rencontre, sur le but de leur voyage : *Vous êtes donc venu pour vous promener par ici ?*

— Je suis venu vous voir, répondit le laboureur, et vous présenter ce petit cadeau de gibier de la part de mon beau-père, en vous disant, aussi de sa part, que vous devez savoir dans quelles intentions je viens chez vous.

— Ah ! ah ! dit le père Léonard en riant et en frappant sur son estomac rebondi, je vois, j'entends, j'y suis ! Et, clignant de l'œil, il ajouta : Vous ne serez pas le seul à faire vos compliments, mon jeune homme. Il y en a déjà trois à la maison qui attendent comme vous. Moi, je ne renvoie personne, et je serais bien embarrassé de donner tort ou raison à quelqu'un, car ce sont tous de bons partis. Pourtant, à cause du père Maurice et de la qualité des terres que vous cultivez, j'aimerais mieux que ce fût vous. Mais ma fille est majeure et maîtresse de son bien ; elle agira donc selon son idée. Entrez, faites-vous connaître ; je souhaite que vous ayez le bon numéro !

— Pardon, excuse, répondit Germain, fort surpris de se trouver en surnuméraire là où il avait compté d'être seul. Je ne savais pas que votre fille fût déjà pourvue de prétendants, et je n'étais pas venu pour la disputer aux autres.

— Si vous avez cru que, parce que vous tardiez à venir, répondit, sans perdre sa bonne humeur, le père Léonard, ma fille se trouvait au dépourvu, vous vous êtes grandement trompé, mon garçon. La Catherine a de quoi attirer les épouseurs[1], et elle n'aura que l'embarras du choix. Mais entrez à la maison, vous dis-je, et ne perdez pas courage. C'est une femme qui vaut la peine d'être disputée.

Et poussant Germain par les épaules avec une rude gaîté : — Allons, Catherine, s'écria-t-il en entrant dans la maison, en voilà un de plus !

Cette manière joviale mais grossière d'être présenté à la veuve, en présence de ses autres soupirants, acheva de troubler et de mécontenter le laboureur. Il se sentit gauche et resta quelques instants sans oser lever les yeux sur la belle et sur sa cour.

La veuve Guérin était bien faite et ne manquait pas de fraîcheur. Mais elle avait une expression de visage et une toilette qui déplurent tout d'abord à Germain. Elle avait l'air hardi et content d'elle-même, et ses cornettes garnies d'un triple rang de dentelle, son tablier de soie, et son fichu de blonde[2] noire étaient peu en rapport avec l'idée qu'il s'était faite d'une veuve sérieuse et rangée.

Cette recherche d'habillement et ces manières

---

1. *Épouseur* : prétendant.
2. Une *blonde* est une dentelle appelée ainsi parce qu'on utilisait primitivement de la soie écrue.

dégagées la lui firent trouver vieille et laide, quoiqu'elle ne fût ni l'un ni l'autre. Il pensa qu'une si
jolie parure et des manières si enjouées siéraient à
l'âge et à l'esprit fin de la petite Marie, mais que
cette veuve avait la plaisanterie lourde et hasardée,
et qu'elle portait sans distinction ses beaux atours.

Les trois prétendants étaient assis à une table
chargée de vins et de viandes, qui étaient là en per-
manence pour eux toute la matinée du dimanche ;
car le père Léonard aimait à faire montre de sa
richesse, et la veuve n'était pas fâchée non plus
d'étaler sa belle vaisselle, et de tenir table comme
une rentière. Germain, tout simple et confiant qu'il
était, observa les choses avec assez de pénétration,
et pour la première fois de sa vie il se tint sur la
défensive en trinquant. Le père Léonard l'avait forcé
de prendre place avec ses rivaux, et, s'asseyant lui-
même vis-à-vis de lui, il le traitait de son mieux, et
s'occupait de lui avec prédilection. Le cadeau de
gibier, malgré la brèche que Germain y avait faite
pour son propre compte, était encore assez copieux
pour produire de l'effet. La veuve y parut sensible et
les prétendants y jetèrent un coup d'œil de dédain.

Germain se sentait mal à l'aise en cette compagnie et ne mangeait pas de bon cœur. Le père Léonard l'en plaisanta. — Vous voilà bien triste, lui
dit-il, et vous boudez contre votre verre. Il ne faut
pas que l'amour vous coupe l'appétit, car un galant
à jeun ne sait point trouver de jolies paroles comme
celui qui s'est éclairci les idées avec une petite

pointe de vin. — Germain fut mortifié qu'on le supposât déjà amoureux, et l'air maniéré de la veuve, qui baissa les yeux en souriant, comme une personne sûre de son fait, lui donna l'envie de protester contre sa prétendue défaite ; mais il craignit de paraître incivil, sourit et prit patience.

Les galants de la veuve lui parurent trois rustres. Il fallait qu'ils fussent bien riches pour qu'elle admît leurs prétentions. L'un avait plus de quarante ans et était quasi aussi gros que le père Léonard ; un autre était borgne et buvait tant qu'il en était abruti ; le troisième était jeune et assez joli garçon ; mais il voulait faire de l'esprit et disait des choses si plates que cela faisait pitié. Pourtant la veuve en riait comme si elle eût admiré toutes ces sottises, et, en cela, elle ne faisait pas preuve de goût. Germain crut d'abord qu'elle en était coiffée ; mais bientôt il s'aperçut qu'il était lui-même encouragé d'une manière particulière, et qu'on souhaitait qu'il se livrât davantage. Ce lui fut une raison pour se sentir et se montrer plus froid et plus grave.

L'heure de la messe arriva, et on se leva de table pour s'y rendre ensemble. Il fallait aller jusqu'à Mers, à une bonne demi-lieue de là, et Germain était si fatigué qu'il eût fort souhaité avoir le temps de faire un somme auparavant ; mais il n'avait pas coutume de manquer la messe, et il se mit en route avec les autres.

Les chemins étaient couverts de monde, et la veuve marchait d'un air fier, escortée de ses trois

prétendants, donnant le bras tantôt à l'un, tantôt à
l'autre, se rengorgeant et portant haut la tête. Elle
eût fort souhaité produire le quatrième aux yeux des
passants ; mais Germain trouva si ridicule d'être
traîné ainsi de compagnie, par un cotillon, à la vue
de tout le monde, qu'il se tint à distance convenable,
causant avec le père Léonard, et trouvant moyen de
le distraire et de l'occuper assez pour qu'ils n'eussent point l'air de faire partie de la bande.

XIII

LE MAÎTRE

Lorsqu'ils atteignirent le village, la veuve s'arrêta pour les attendre. Elle voulait absolument faire son entrée avec tout son monde ; mais Germain, lui refusant cette satisfaction, quitta le père Léonard, accosta plusieurs personnes de sa connaissance, et entra dans l'église par une autre porte. La veuve en eut du dépit.

Après la messe, elle se montra pourtant triomphante sur la pelouse où l'on dansait, et ouvrit la danse avec ses trois amoureux successivement. Germain la regarda faire, et trouva qu'elle dansait bien, mais avec affectation.

— Eh bien ! lui dit Léonard en lui frappant sur l'épaule, vous ne faites donc pas danser ma fille ? Vous êtes aussi par trop timide !

— Je ne danse plus depuis que j'ai perdu ma femme, répondit le laboureur.

— Eh bien ! puisque vous en recherchez une autre, le deuil est fini dans le cœur comme sur l'habit.

— Ce n'est pas une raison, père Léonard ;

d'ailleurs je me trouve trop vieux, je n'aime plus la danse.

— Écoutez, reprit Léonard en l'attirant dans un endroit isolé, vous avez pris du dépit en entrant chez moi, de voir la place déjà entourée d'assiégeants, et je vois que vous êtes très fier; mais ceci n'est pas raisonnable, mon garçon. Ma fille est habituée à être courtisée, surtout depuis deux ans qu'elle a fini son deuil, et ce n'est pas à elle à aller au-devant de vous.

— Il y a déjà deux ans que votre fille est à marier, et elle n'a pas encore pris son parti? dit Germain.

— Elle ne veut pas se presser, et elle a raison. Quoiqu'elle ait la mine éveillée et qu'elle vous paraisse peut-être ne pas beaucoup réfléchir, c'est une femme d'un grand sens, et qui sait fort bien ce qu'elle fait.

— Il ne me semble pas, dit Germain ingénument, car elle a trois galants à sa suite, et si elle savait ce qu'elle veut, il y en aurait au moins deux qu'elle trouverait de trop et qu'elle prierait de rester chez eux.

— Pourquoi donc? vous n'y entendez rien, Germain. Elle ne veut ni du vieux, ni du borgne, ni du jeune, j'en suis quasi certain; mais si elle les renvoyait, on penserait qu'elle veut rester veuve, et il n'en viendrait pas d'autre.

— Ah! oui! ceux-là servent d'enseigne!

— Comme vous dites. Où est le mal, si cela leur convient?

— Chacun son goût ! dit Germain.

— Je vois que ce ne serait pas le vôtre. Mais voyons, on peut s'entendre, à supposer que vous soyez préféré : on pourrait vous laisser la place.

— Oui, à supposer ! Et en attendant qu'on puisse le savoir, combien de temps faudrait-il rester le nez au vent ?

— Ça dépend de vous, je crois, si vous savez parler et persuader. Jusqu'ici ma fille a très bien compris que le meilleur temps de sa vie serait celui qu'elle passerait à se laisser courtiser, et elle ne se sent pas pressée de devenir la servante d'un homme, quand elle peut commander à plusieurs. Ainsi, tant que le jeu lui plaira elle peut se divertir ; mais si vous plaisez plus que le jeu, le jeu pourra cesser. Vous n'avez qu'à ne pas vous rebuter. Revenez tous les dimanches, faites-la danser, donnez à connaître que vous vous mettez sur les rangs, et si on vous trouve plus aimable et mieux appris que les autres, un beau jour on vous le dira sans doute.

— Pardon, père Léonard, votre fille a le droit d'agir comme elle l'entend, et je n'ai pas celui de la blâmer. À sa place, moi, j'agirais autrement ; j'y mettrais plus de franchise et je ne ferais pas perdre du temps à des hommes qui ont sans doute quelque chose de mieux à faire qu'à tourner autour d'une femme qui se moque d'eux. Mais, enfin, si elle trouve son amusement et son bonheur à cela, cela ne me regarde point. Seulement, il faut que je vous dise une chose qui m'embarrasse un peu à vous avouer depuis ce matin, vu que vous avez commencé par vous tromper sur mes intentions, et que vous ne m'avez pas donné le temps de vous répondre : si bien que vous croyez ce qui n'est point. Sachez donc que je ne suis pas venu dans la vue de demander votre fille en mariage, mais dans celle de vous acheter une paire de bœufs que vous voulez conduire en foire la semaine prochaine, et que mon beau-père suppose lui convenir.

— J'entends, Germain, répondit Léonard fort tranquillement; vous avez changé d'idée en voyant ma fille avec ses amoureux. C'est comme il vous plaira. Il paraît que ce qui attire les uns rebute les autres, et vous avez le droit de vous retirer puisque aussi bien vous n'avez pas encore parlé. Si vous voulez sérieusement acheter mes bœufs, venez les voir au pâturage; nous en causerons, et, que nous fassions ou non ce marché, vous viendrez dîner avec nous avant de vous en retourner.

— Je ne veux pas que vous vous dérangiez, reprit Germain, vous avez peut-être affaire ici; moi je m'ennuie un peu de voir danser et de ne rien faire. Je vais voir vos bêtes, et je vous trouverai tantôt chez vous.

Là-dessus Germain s'esquiva et se dirigea vers les prés, où Léonard lui avait, en effet, montré de loin une partie de son bétail. Il était vrai que le père Maurice en avait à acheter, et Germain pensa que s'il lui ramenait une belle paire de bœufs d'un prix modéré, il se ferait mieux pardonner d'avoir manqué involontairement le but de son voyage.

Il marcha vite et se trouva bientôt à peu de distance des Ormeaux. Il éprouva alors le besoin d'aller embrasser son fils, et même de revoir la petite Marie, quoiqu'il eût perdu l'espoir et chassé la pensée de lui devoir son bonheur. Tout ce qu'il venait de voir et d'entendre, cette femme coquette et vaine, ce père à la fois rusé et borné, qui encourageait sa fille dans des habitudes d'orgueil et de déloyauté, ce luxe des villes, qui lui paraissait une infraction à la dignité des mœurs de la campagne, ce temps perdu à des paroles oiseuses et niaises, cet intérieur si différent du sien, et surtout ce malaise profond que l'homme des champs éprouve lorsqu'il sort de ses habitudes laborieuses, tout ce qu'il avait subi d'ennui et de confusion depuis quelques heures donnait à Germain l'envie de se retrouver avec son enfant et sa petite voisine. N'eût-il pas été amoureux de cette dernière, il l'aurait encore cherchée pour se distraire et remettre ses esprits dans leur assiette accoutumée.

Mais il regarda en vain dans les prairies environnantes, il n'y trouva ni la petite Marie ni le petit Pierre : il était pourtant l'heure où les pasteurs sont aux champs. Il y avait un grand troupeau dans une *chôme*[1] ; il demanda à un jeune garçon, qui le gardait, si c'étaient les moutons de la métairie des Ormeaux.

— Oui, dit l'enfant.

_____

1. *Chôme* : terre laissée en jachère.

— En êtes-vous le berger ? est-ce que les garçons gardent les bêtes à laine des métairies dans votre endroit ?

— Non. Je les garde aujourd'hui parce que la bergère est partie : elle était malade.

— Mais n'avez-vous pas une nouvelle bergère, arrivée de ce matin ?

— Oh ! bien oui ! elle est déjà partie aussi.

— Comment, partie ? n'avait-elle pas un enfant avec elle ?

— Oui : un petit garçon qui a pleuré. Ils se sont en allés tous les deux au bout de deux heures.

— En allés, où ?

— D'où ils venaient, apparemment. Je ne leur ai pas demandé.

— Mais pourquoi donc s'en allaient-ils ? dit Germain de plus en plus inquiet.

— Dame ! est-ce que je sais ?

— On ne s'est pas entendu sur le prix ? ce devait être pourtant une chose convenue d'avance.

— Je ne peux rien vous en dire. Je les ai vus entrer et sortir, voilà tout.

Germain se dirigea vers la ferme et questionna les métayers. Personne ne put lui expliquer le fait ; mais il était constant qu'après avoir causé avec le fermier, la jeune fille était partie sans rien dire, emmenant l'enfant qui pleurait.

— Est-ce qu'on a maltraité mon fils ? s'écria Germain dont les yeux s'enflammèrent.

— C'était donc votre fils ? Comment se trouvait-il avec cette petite ? D'où êtes-vous donc, et comment vous appelle-t-on ?

Germain, voyant que, selon l'habitude du pays, on allait répondre à ses questions par d'autres questions, frappa du pied avec impatience et demanda à parler au maître.

Le maître n'y était pas : il n'avait pas coutume de rester toute la journée entière quand il venait à la ferme. Il était monté à cheval, et il était parti on ne savait pour quelle autre de ses fermes.

— Mais enfin, dit Germain en proie à une vive anxiété, ne pouvez-vous savoir la raison du départ de cette jeune fille ?

Le métayer échangea un sourire étrange avec sa femme, puis il répondit qu'il n'en savait rien, que cela ne le regardait pas. Tout ce que Germain put apprendre, c'est que la jeune fille et l'enfant étaient allés du côté de Fourche. Il courut à Fourche : la veuve et ses amoureux n'étaient pas de retour, non plus que le père Léonard. La servante lui dit qu'une jeune fille et un enfant étaient venus le demander, mais que, ne les connaissant pas, elle n'avait pas voulu les recevoir, et leur avait conseillé d'aller à Mers.

— Et pourquoi avez-vous refusé de les recevoir ? dit Germain avec humeur. On est donc bien méfiant dans ce pays-ci, qu'on n'ouvre pas la porte à son prochain ?

— Ah dame ! répondit la servante, dans une maison riche comme celle-ci on a raison de faire bonne garde. Je réponds de tout quand les maîtres sont absents, et je ne peux pas ouvrir aux premiers venus.

— C'est une laide coutume, dit Germain, et j'aimerais mieux être pauvre que de vivre comme cela dans la crainte. Adieu, la fille ! adieu à votre vilain pays !

Il s'enquit dans les maisons environnantes. On avait vu la bergère et l'enfant. Comme le petit était parti de Belair à l'improviste, sans toilette, avec sa blouse un peu déchirée et sa petite peau d'agneau sur le corps ; comme aussi la petite Marie était, pour cause, fort pauvrement vêtue en tout temps, on les avait pris pour des mendiants. On leur avait offert du pain ; la jeune fille en avait accepté un morceau pour l'enfant qui avait faim, puis elle était partie très vite avec lui, et avait gagné les bois.

Germain réfléchit un instant, puis il demanda si le fermier des Ormeaux n'était pas venu à Fourche.

— Oui, lui répondit-on ; il a passé à cheval peu d'instants après cette petite.

— Est-ce qu'il a couru après elle ?

— Ah ! vous le connaissez donc ? dit en riant le cabaretier de l'endroit, auquel il s'adressait. Oui, certes ; c'est un gaillard endiablé pour courir après les filles. Mais je ne crois pas qu'il ait attrapé celle-là ; quoique après tout, s'il l'eût vue…

— C'est assez, merci ! Et il vola plutôt qu'il ne courut à l'écurie de Léonard. Il jeta la bâtine sur la Grise, sauta dessus, et partit au grand galop dans la direction des bois de Chanteloube.

Le cœur lui bondissait d'inquiétude et de colère, la sueur lui coulait du front. Il mettait en sang les flancs de la Grise, qui, en se voyant sur le chemin de son écurie, ne se faisait pourtant pas prier pour courir.

LA VIEILLE

Germain se retrouva bientôt à l'endroit où il avait passé la nuit au bord de la mare. Le feu fumait encore ; une vieille femme ramassait le reste de la provision de bois mort que la petite Marie y avait entassée. Germain s'arrêta pour la questionner. Elle était sourde, et, se méprenant sur ses interrogations :

— Oui, mon garçon, dit-elle, c'est ici la Mare au Diable. C'est un mauvais endroit, et il ne faut pas en approcher sans jeter trois pierres dedans de la main gauche, en faisant le signe de la croix de la main droite : ça éloigne les esprits. Autrement il arrive des malheurs à ceux qui en font le tour.

— Je ne vous parle pas de ça, dit Germain en s'approchant d'elle et en criant à tue-tête :

— N'avez-vous pas vu passer dans le bois une fille et un enfant ?

— Oui, dit la vieille, il s'est noyé un petit enfant !

Germain frémit de la tête aux pieds ; mais heureusement, la vieille ajouta :

— Il y a bien longtemps de ça ; en mémoire de l'accident on y avait planté une belle croix ; mais par une belle nuit de grand orage, les mauvais esprits l'ont jetée dans l'eau. On peut en voir encore un bout. Si quelqu'un avait le malheur de s'arrêter ici la nuit, il serait bien sûr de ne pouvoir jamais en sortir avant le jour. Il aurait beau marcher, marcher, il pourrait faire deux cents lieues dans le bois et se retrouver toujours à la même place.

L'imagination du laboureur se frappa malgré lui de ce qu'il entendait, et l'idée du malheur qui devait arriver pour achever de justifier les assertions de la vieille femme, s'empara si bien de sa tête, qu'il se sentit froid par tout le corps. Désespérant d'obtenir d'autres renseignements, il remonta à cheval et recommença de parcourir le bois en appelant Pierre de toutes ses forces, et en sifflant, faisant claquer son fouet, cassant les branches pour emplir la forêt du bruit de sa marche, écoutant ensuite si quelque voix lui répondait ; mais il n'entendait que la cloche des vaches éparses dans les taillis, et le cri sauvage des porcs qui se disputaient la glandée.

Enfin Germain entendit derrière lui le bruit d'un cheval qui courait sur ses traces, et un homme entre deux âges, brun, robuste, habillé comme un demi-bourgeois, lui cria de s'arrêter. Germain n'avait jamais vu le fermier des Ormeaux ; mais un instinct de rage lui fit juger de suite que c'était lui. Il se retourna, et, le toisant de la tête aux pieds, il attendit ce qu'il avait à lui dire.

— N'avez-vous pas vu passer par ici une jeune fille de quinze ou seize ans, avec un petit garçon ?

dit le fermier en affectant un air d'indifférence, quoiqu'il fût visiblement ému.

— Et que lui voulez-vous ? répondit Germain sans chercher à déguiser sa colère.

— Je pourrais vous dire que ça ne vous regarde pas, mon camarade ! mais comme je n'ai pas de raisons pour le cacher, je vous dirai que c'est une bergère que j'avais louée pour l'année sans la connaître… Quand je l'ai vue arriver, elle m'a semblé trop jeune et trop faible pour l'ouvrage de la ferme. Je l'ai remerciée, mais je voulais lui payer les frais de son petit voyage, et elle est partie fâchée pendant que j'avais le dos tourné… Elle s'est tant pressée, qu'elle a même oublié une partie de ses effets et sa bourse, qui ne contient pas grand'chose, à coup sûr ; quelques sous probablement !… mais enfin, comme j'avais à passer par ici, je pensais la rencontrer et lui remettre ce qu'elle a oublié et ce que je lui dois.

Germain avait l'âme trop honnête pour ne pas hésiter en entendant cette histoire, sinon très vraisemblable, du moins possible. Il attachait un regard perçant sur le fermier, qui soutenait cette investigation avec beaucoup d'impudence ou de candeur.

— Je veux en avoir le cœur net, se dit Germain, et contenant son indignation :

— C'est une fille de chez nous, dit-il ; je la connais : elle doit être par ici… Avançons ensemble… nous la retrouverons sans doute.

— Vous avez raison, dit le fermier. Avançons… et pourtant, si nous ne la trouvons pas au bout de l'avenue, j'y renonce… car il faut que je prenne le chemin d'Ardentes.

— Oh! pensa le laboureur, je ne te quitte pas! quand même je devrais tourner pendant vingt-quatre heures avec toi autour de la Mare au Diable!

— Attendez! dit tout à coup Germain en fixant des yeux une touffe de genêts qui s'agitait singulièrement: holà! holà! Petit-Pierre, est-ce toi, mon enfant?

L'enfant, reconnaissant la voix de son père, sortit des genêts en sautant comme un chevreuil, mais quand il le vit dans la compagnie du fermier, il s'arrêta comme effrayé et resta incertain.

— Viens, mon Pierre! viens, c'est moi! s'écria le laboureur en courant après lui, et en sautant à bas de son cheval pour le prendre dans ses bras: et où est la petite Marie?

— Elle est là, qui se cache, parce qu'elle a peur de ce vilain homme noir, et moi aussi.

— Eh! sois tranquille; je suis là… Marie! Marie! c'est moi!

Marie approcha en rampant, et dès qu'elle vit Germain, que le fermier suivait de près, elle courut se jeter dans ses bras; et, s'attachant à lui comme une fille à son père:

— Ah! mon brave Germain, lui dit-elle, vous me défendrez; je n'ai pas peur avec vous.

Germain eut le frisson. Il regarda Marie: elle était pâle, ses vêtements étaient déchirés par les épines où elle avait couru, cherchant le fourré, comme une biche traquée par les chasseurs. Mais il n'y avait ni honte ni désespoir sur sa figure.

— Ton maître veut te parler, lui dit-il, en observant toujours ses traits.

— Mon maître? dit-elle fièrement; cet homme-là n'est pas mon maître et ne le sera jamais!... C'est vous, Germain, qui êtes mon maître. Je veux que vous me remeniez avec vous... Je vous servirai pour rien!

Le fermier s'était avancé, feignant un peu d'impatience.

— Hé! la petite, dit-il, vous avez oublié chez nous quelque chose que je vous rapporte.

— Nenni, Monsieur, répondit la petite Marie, je n'ai rien oublié, et je n'ai rien à vous demander...

— Écoutez un peu ici, reprit le fermier, j'ai quelque chose à vous dire moi!... Allons!... n'ayez pas peur... deux mots seulement...

— Vous pouvez les dire tout haut... je n'ai pas de secrets avec vous.

— Venez prendre votre argent, au moins.

— Mon argent? Vous ne me devez rien, Dieu merci!

— Je m'en doutais bien, dit Germain à demivoix; mais c'est égal, Marie... écoute ce qu'il a à te dire... car, moi, je suis curieux de le savoir. Tu me le diras après; j'ai mes raisons pour ça. Va auprès de son cheval... je ne te perds pas de vue.

Marie fit trois pas vers le fermier, qui lui dit, en se penchant sur le pommeau de sa selle et en baissant la voix:

XIV. La vieille   135

— Petite, voilà un beau louis d'or pour toi ! tu ne
diras rien, entends-tu ? Je dirai que je t'ai trouvée
trop faible pour l'ouvrage de ma ferme… Et qu'il ne
soit plus question de ça… Je repasserai par chez
vous un de ces jours ; et si tu n'as rien dit, je te don-
nerai encore quelque chose… Et puis, si tu es plus
raisonnable, tu n'as qu'à parler : je te ramènerai chez
moi, ou bien, j'irai causer avec toi à la brune dans les
prés. Quel cadeau veux-tu que je te porte ?

— Voilà, monsieur, le cadeau que je vous fais,
moi ! répondit à haute voix la petite Marie, en lui
jetant son louis d'or au visage, et même assez rude-
ment. Je vous remercie beaucoup, et vous prie,
quand vous repasserez par chez nous, de me faire
avertir : tous les garçons de mon endroit iront vous
recevoir, parce que chez nous, on aime fort les
bourgeois qui veulent en conter aux pauvres filles !
Vous verrez ça, on vous attendra.

— Vous êtes une menteuse et une sotte langue !
dit le fermier courroucé, en levant son bâton d'un
air de menace. Vous voudriez faire croire ce qui
n'est point, mais vous ne me tirerez pas d'argent :
on connaît vos pareilles !

Marie s'était reculée effrayée ; mais Germain
s'était élancé à la bride du cheval du fermier, et le
secouant avec force :

— C'est entendu, maintenant ! dit-il, et nous
voyons de quoi il retourne… À terre ! mon homme !
à terre ! et causons tous les deux !

Le fermier ne se souciait pas d'engager la partie :

il éperonna son cheval pour se dégager, et voulut frapper de son bâton les mains du laboureur pour lui faire lâcher prise ; mais Germain esquiva le coup, et, lui prenant la jambe, il le désarçonna et le fit tomber sur la fougère, où il le terrassa, quoique le fermier se fût remis sur ses pieds et se défendît vigoureusement. Quand il le tint sous lui :

— Homme de peu de cœur ! lui dit Germain, je pourrais te rouer de coups si je voulais ! Mais je n'aime pas à faire du mal, et d'ailleurs aucune correction n'amenderait ta conscience… Cependant, tu ne bougeras pas d'ici que tu n'aies demandé pardon, à genoux, à cette jeune fille.

Le fermier, qui connaissait ces sortes d'affaires, voulut prendre la chose en plaisanterie. Il prétendit que son péché n'était pas si grave, puisqu'il ne consistait qu'en paroles, et qu'il voulait bien demander pardon, à condition qu'il embrasserait la fille, que l'on irait boire une pinte de vin au prochain cabaret, et qu'on se quitterait bons amis.

— Tu me fais peine ! répondit Germain en lui poussant la face contre terre, et j'ai hâte de ne plus voir ta méchante mine. Tiens, rougis si tu peux, et tâche de prendre le chemin des *affronteux*[1] quand tu passeras par chez nous.

Il ramassa le bâton de houx du fermier, le brisa

1. «C'est le chemin qui détourne de la rue principale à l'entrée des villages et les côtoie à l'extérieur. On suppose que les gens qui craignent de recevoir quelque affront mérité le prennent pour éviter d'être vus» (note de G. Sand).

sur son genou pour lui montrer la force de ses poignets, et en jeta les morceaux au loin avec mépris.

Puis, prenant d'une main son fils, et de l'autre la petite Marie, il s'éloigna tout tremblant d'indignation.

LE RETOUR À LA FERME

Au bout d'un quart d'heure ils avaient franchi les brandes. Ils trottaient sur la grand'route, et la Grise hennissait à chaque objet de sa connaissance. Petit-Pierre racontait à son père ce qu'il avait pu comprendre dans ce qui s'était passé.

— Quand nous sommes arrivés, dit-il, cet *homme-là* est venu pour parler à *ma Marie* dans la bergerie où nous avons été tout de suite, pour voir les beaux moutons. Moi, j'étais monté dans la crèche pour jouer, et cet *homme-là* ne me voyait pas. Alors il a dit bonjour à ma Marie, et il l'a embrassée.

— Tu t'es laissé embrasser, Marie ? dit Germain tout tremblant de colère.

— J'ai cru que c'était une honnêteté, une coutume de l'endroit aux arrivées, comme, chez vous, la grand'mère embrasse les jeunes filles qui entrent à son service, pour leur faire voir qu'elle les adopte et qu'elle leur sera comme une mère.

— Et puis alors, reprit Petit-Pierre, qui était fier d'avoir à raconter une aventure, cet *homme-là* t'a dit quelque chose de vilain, quelque chose que tu

m'as dit de ne jamais répéter et de ne pas m'en souvenir : aussi je l'ai oublié bien vite. Cependant, si
mon père veut que je lui dise ce que c'était…

— Non, mon Pierre, je ne veux pas l'entendre,
et je veux que tu ne t'en souviennes jamais.

— En ce cas, je vas l'oublier encore, reprit l'enfant. Et puis alors, cet *homme-là* a eu l'air de se
fâcher parce que Marie lui disait qu'elle s'en irait.
Il lui a dit qu'il lui donnerait tout ce qu'elle voudrait, cent francs ! Et ma Marie s'est fâchée aussi.
Alors il est venu contre elle, comme s'il voulait lui
faire du mal. J'ai eu peur et je me suis jeté contre
Marie en criant. Alors cet *homme-là* a dit comme
ça : «Qu'est-ce que c'est que ça ? d'où sort cet
enfant-là ? Mettez-moi ça dehors.» Et il a levé son
bâton pour me battre. Mais ma Marie l'a empêché,
et elle lui a dit comme ça : «Nous causerons plus
tard, monsieur ; à présent il faut que je conduise cet
enfant-là, à Fourche, et puis je reviendrai.» Et aussitôt qu'il a été sorti de la bergerie, ma Marie m'a
dit comme ça : «Sauvons-nous, mon Pierre, allons-
nous-en d'ici bien vite, car cet homme-là est
méchant, et il ne nous ferait que du mal.» Alors
nous avons passé derrière les granges, nous avons
passé un petit pré, et nous avons été à Fourche pour
te chercher. Mais tu n'y étais pas et on n'a pas
voulu nous laisser t'attendre. Et alors cet *homme-
là*, qui était monté sur son cheval noir, est venu derrière nous, et nous nous sommes sauvés plus loin,
et puis nous avons été nous cacher dans le bois. Et

puis il y est venu aussi, et quand nous l'entendions venir, nous nous cachions. Et puis, quand il avait passé, nous recommencions à courir pour nous en aller chez nous ; et puis enfin tu es venu, et tu nous as trouvés ; et voilà comme tout ça est arrivé. N'est-ce pas, Marie, que je n'ai rien oublié ?

— Non, mon Pierre et c'est la vérité. À présent, Germain, vous rendrez témoignage pour moi, et vous direz à tout le monde de chez nous que si je n'ai pas pu rester là-bas ce n'est pas faute de courage et d'envie de travailler.

— Et toi, Marie, dit Germain, je te prierai de te demander à toi-même si, quand il s'agit de défendre une femme et de punir un insolent, un homme de vingt-huit ans n'est pas trop vieux ! Je voudrais un peu savoir si Bastien, ou tout autre joli garçon, riche de dix ans moins que moi, n'aurait pas été écrasé par cet *homme-là*, comme dit Petit-Pierre : qu'en penses-tu ?

— Je pense, Germain, que vous m'avez rendu un grand service, et que je vous en remercierai toute ma vie.

— C'est là tout !

— Mon petit père, dit l'enfant, je n'ai pas pensé à dire à la petite Marie ce que je t'avais promis. Je n'ai pas eu le temps, mais je le lui dirai à la maison, et je le dirai aussi à ma grand'mère.

Cette promesse de son enfant donna enfin à réfléchir à Germain. Il s'agissait maintenant de s'expliquer avec ses parents, et, en leur disant ses griefs contre la veuve Guérin, de ne pas leur dire quelles autres idées l'avaient disposé à tant de clairvoyance et de sévérité. Quand on est heureux et fier, le courage de faire accepter son bonheur aux autres paraît facile ; mais être rebuté d'un côté, blâmé de l'autre, ne fait pas une situation fort agréable.

Heureusement, le petit Pierre dormait quand ils arrivèrent à la métairie, et Germain le déposa, sans l'éveiller, sur son lit. Puis il entra sur toutes les explications qu'il put donner. Le père Maurice, assis sur son escabeau à trois pieds, à l'entrée de la maison, l'écouta gravement, et, quoiqu'il fût mécontent du résultat de ce voyage, lorsque Germain en racontant le système de coquetterie de la veuve, demanda à son beau-père s'il avait le temps d'aller cinquante-deux dimanches de l'année faire sa cour, pour risquer d'être renvoyé au bout de l'an, le beau-père répondit, en inclinant la tête en signe d'adhésion : — Tu n'as pas tort, Germain ; ça ne se pouvait pas. — Et ensuite, quand Germain raconta comme quoi il avait été forcé de ramener la petite Marie au plus vite pour la soustraire aux insultes, peut-être aux violences d'un indigne maître, le père Maurice approuva encore de la tête en disant : — Tu n'as pas eu tort, Germain ; ça se devait.

Quand Germain eut achevé son récit et donné toutes ses raisons, le beau-père et la belle-mère firent simultanément un gros soupir de résignation, en se regardant. Puis, le chef de famille se leva en disant : — Allons ! que la volonté de Dieu soit faite ! l'amitié ne se commande pas !

— Venez souper, Germain, dit la belle-mère. Il est malheureux que ça ne se soit pas mieux arrangé ; mais, enfin, Dieu ne le voulait pas, à ce qu'il paraît. Il faudra voir ailleurs.

— Oui, ajouta le vieillard, comme dit ma femme, on verra ailleurs.

Il n'y eut pas d'autre bruit à la maison, et quand, le lendemain, le petit Pierre se leva avec les alouettes, au point du jour, n'étant plus excité par les événements extraordinaires des jours précédents, il retomba dans l'apathie des petits paysans de son âge, oublia tout ce qui lui avait trotté par la tête, et ne songea plus qu'à jouer avec ses frères et à *faire l'homme* avec les bœufs et les chevaux.

Germain essaya d'oublier aussi, en se replongeant dans le travail ; mais il devint si triste et si distrait, que tout le monde le remarqua. Il ne parlait pas à la petite Marie, il ne la regardait même pas ; et pourtant, si on lui eût demandé dans quel pré elle était et par quel chemin elle avait passé, il n'était point d'heure du jour où il n'eût pu le dire s'il avait voulu répondre. Il n'avait pas osé demander à ses parents de la recueillir à la ferme pendant l'hiver, et pourtant il savait bien qu'elle devait souffrir de la misère. Mais elle n'en souffrit pas, et la mère Guillette ne put jamais comprendre comment sa petite provision de bois ne diminuait point, et comment son hangar se trouvait rempli le matin lorsqu'elle l'avait laissé presque vide le soir. Il en fut de même du blé et des pommes de terre. Quelqu'un

passait par la lucarne du greni
le plancher sans réveiller per
traces. La vieille en fut à la
elle engagea sa fille à n'en po
si on venait à savoir le miracle qui s
elle, on la tiendrait pour sorcière. Elle pens
que le diable s'en mêlait, mais elle n'était pas pr
sée de se brouiller avec lui en appelant les exor-
cismes du curé sur sa maison ; elle se disait qu'il
serait temps, lorsque Satan viendrait lui demander
son âme en retour de ses bienfaits.

La petite Marie comprenait mieux la vérité, mais
elle n'osait en parler à Germain, de peur de le voir
revenir à son idée de mariage, et elle feignait avec
lui de ne s'apercevoir de rien.

LA MÈRE MAURICE

Un jour la mère Maurice se trouvant seule dans le verger avec Germain, lui dit d'un air d'amitié :

— Mon pauvre gendre, je crois que vous n'êtes pas bien. Vous ne mangez pas aussi bien qu'à l'ordinaire, vous ne riez plus, vous causez de moins en moins. Est-ce que quelqu'un de chez nous, ou nous-mêmes, sans le savoir et sans le vouloir, vous avons fait de la peine ?

— Non, ma mère, répondit Germain, vous avez toujours été aussi bonne pour moi que la mère qui m'a mis au monde, et je serais un ingrat si je me plaignais de vous, ou de votre mari, ou de personne de la maison.

— En ce cas, mon enfant, c'est le chagrin de la mort de votre femme qui vous revient. Au lieu de s'en aller avec le temps, votre ennui empire et il faut absolument faire ce que votre beau-père vous a dit fort sagement : il faut vous remarier.

— Oui, ma mère, ce serait aussi mon idée ; mais les femmes que vous m'avez conseillé de rechercher ne me conviennent pas. Quand je les vois, au lieu d'oublier ma Catherine, j'y pense davantage.

— C'est qu'apparemment, Germain, nous n'avons pas su deviner votre goût. Il faut donc que vous nous aidiez en nous disant la vérité. Sans doute il y a quelque part une femme qui est faite pour vous, car le bon Dieu ne fait personne sans lui réserver son bonheur dans une autre personne. Si donc vous savez où la prendre, cette femme qu'il vous faut, prenez-la; et qu'elle soit belle ou laide, jeune ou vieille, riche ou pauvre, nous sommes décidés, mon vieux et moi, à vous donner consentement; car nous sommes fatigués de vous voir triste, et nous ne pouvons pas vivre tranquilles si vous ne l'êtes point.

— Ma mère vous êtes aussi bonne que le bon Dieu, et mon père pareillement, répondit Germain, mais votre compassion ne peut pas porter remède à mes ennuis : la fille que je voudrais ne veut point de moi.

— C'est donc qu'elle est trop jeune ? S'attacher à une jeunesse est déraison pour vous.

— Eh bien ! oui, bonne mère, j'ai cette folie de m'être attaché à une jeunesse, et je m'en blâme. Je fais mon possible pour n'y plus penser; mais que je travaille ou que je me repose, que je sois à la messe ou dans mon lit, avec mes enfants ou avec vous, j'y pense toujours, je ne peux penser à autre chose.

— Alors c'est comme un sort qu'on vous a jeté, Germain ? Il n'y a à ça qu'un remède, c'est que cette fille change d'idée et vous écoute. Il faudra donc que je m'en mêle, et que je voie si c'est possible. Vous allez me dire où elle est et comment on l'appelle.

— Hélas! ma chère mère, je n'ose pas, dit Germain, parce que vous allez vous moquer de moi.

— Je ne me moquerai pas de vous, Germain, parce que vous êtes dans la peine et que je ne veux pas vous y mettre davantage. Serait-ce point la Fanchette?

— Non, ma mère, ça ne l'est point.

— Ou la Rosette?

— Non.

— Dites donc, car je n'en finirai pas, s'il faut que je nomme toutes les filles du pays.

Germain baissa la tête et ne put se décider à répondre.

— Allons! dit la mère Maurice, je vous laisse tranquille pour aujourd'hui, Germain; peut-être que demain vous serez plus confiant avec moi, ou bien que votre belle-sœur sera plus adroite à vous questionner.

Et elle ramassa sa corbeille pour aller étendre son linge sur les buissons.

Germain fit comme les enfants qui se décident quand ils voient qu'on ne s'occupera plus d'eux. Il suivit sa belle-mère, et lui nomma enfin en tremblant *la petite Marie à la Guillette*.

Grande fut la surprise de la mère Maurice : c'était la dernière à laquelle elle eût songé. Mais elle eut la délicatesse de ne point se récrier, et de faire mentalement ses commentaires. Puis, voyant que son silence accablait Germain, elle lui tendit sa corbeille en lui disant. — Alors est-ce une raison pour ne point m'aider dans mon travail ? Portez donc cette charge, et venez parler avec moi. Avez-vous bien réfléchi, Germain ? êtes-vous bien décidé ?

— Hélas ! ma chère mère, ce n'est pas comme cela qu'il faut parler : je serais décidé si je pouvais réussir ; mais comme je ne serais pas écouté, je ne suis décidé qu'à m'en guérir si je peux.

— Et si vous ne pouvez pas ?

— Toute chose a son terme, mère Maurice : quand le cheval est trop chargé, il tombe ; et quand le bœuf n'a rien à manger, il meurt.

— C'est donc à dire que vous mourrez, si vous ne réussissez point ? À Dieu ne plaise, Germain ! Je n'aime pas qu'un homme comme vous dise de ces choses-là, parce que quand il les dit il les pense. Vous êtes d'un grand courage, et la faiblesse est dangereuse chez les gens forts. Allons, prenez de l'espérance. Je ne conçois pas qu'une fille dans la misère, et à laquelle vous faites beaucoup d'honneur en la recherchant, puisse vous refuser.

— C'est pourtant la vérité, elle me refuse.

— Et quelles raisons vous en donne-t-elle ?

— Que vous lui avez toujours fait du bien, que sa famille doit beaucoup à la vôtre, et qu'elle ne veut point vous déplaire en me détournant d'un mariage riche.

— Si elle dit cela, elle prouve de bons sentiments, et c'est honnête de sa part. Mais en vous disant cela, Germain, elle ne vous guérit point, car elle vous dit sans doute qu'elle vous aime, et qu'elle vous épouserait si nous le voulions ?

— Voilà le pire ! elle dit que son cœur n'est point porté vers moi.

— Si elle dit ce qu'elle ne pense pas, pour mieux vous éloigner d'elle, c'est une enfant qui mérite que nous l'aimions et que nous passions par-dessus sa jeunesse à cause de sa grande raison.

— Oui ? dit Germain, frappé d'une espérance qu'il n'avait pas encore conçue : ça serait bien sage et bien *comme il faut* de sa part ! mais si elle est si raisonnable, je crains bien que c'est à cause que je lui déplais.

— Germain, dit la mère Maurice, vous allez me promettre de vous tenir tranquillement pendant toute la semaine, de ne point vous tourmenter, de manger, de dormir, et d'être gai comme autrefois. Moi, je parlerai à mon vieux, et si je le fais consentir, vous aurez alors le vrai sentiment de la fille à votre endroit.

Germain promit, et la semaine se passa sans que le père Maurice lui dît un mot en particulier et parût se douter de rien. Le laboureur s'efforça de paraître tranquille, mais il était toujours plus pâle et plus tourmenté.

LA PETITE MARIE

Enfin, le dimanche matin, au sortir de la messe, sa belle-mère lui demanda ce qu'il avait obtenu de sa bonne amie depuis la conversation dans le verger.

— Mais, rien du tout, répondit-il. Je ne lui ai pas parlé.

— Comment donc voulez-vous la persuader si vous ne lui parlez pas ?

— Je ne lui ai parlé qu'une fois, répondit Germain. C'est quand nous avons été ensemble à Fourche ; et, depuis ce temps-là, je ne lui ai pas dit un seul mot. Son refus m'a fait tant de peine que j'aime mieux ne pas l'entendre recommencer à me dire qu'elle ne n'aime pas.

— Eh bien, mon fils, il faut lui parler maintenant ; votre beau-père vous autorise à le faire. Allez, décidez-vous ! je vous le dis, et, s'il le faut, je le veux ; car vous ne pouvez pas rester dans ce doute-là.

Germain obéit. Il arriva chez la Guillette, la tête basse et l'air accablé. La petite Marie était seule au coin du feu, si pensive qu'elle n'entendit pas venir

Germain. Quand elle le vit devant elle, elle sauta de
surprise sur sa chaise, et devint toute rouge.

— Petite Marie, lui dit-il en s'asseyant auprès
d'elle, je viens te faire de la peine et t'ennuyer, je le
sais bien : mais *l'homme et la femme de chez nous*
(désignant ainsi, selon l'usage, les chefs de famille)
veulent que je te parle et que je te demande de
m'épouser. Tu ne le veux pas, toi, je m'y attends.

— Germain, répondit la petite Marie, c'est donc
décidé que vous m'aimez ?

— Ça te fâche, je le sais, mais ce n'est pas ma
faute : si tu pouvais changer d'avis, je serais trop
content, et sans doute je ne mérite pas que cela soit.
Voyons, regarde-moi, Marie, je suis donc bien
affreux ?

— Non, Germain, répondit-elle en souriant,
vous êtes plus beau que moi.

— Ne te moque pas ; regarde-moi avec indul-
gence ; il ne me manque encore ni un cheveu ni une
dent. Mes yeux te disent que je t'aime. Regarde-
moi donc dans les yeux, ça y est écrit, et toute fille
sait lire dans cette écriture-là.

Marie regarda dans les yeux de Germain avec
son assurance enjouée ; puis, tout à coup, elle
détourna la tête et se mit à trembler.

— Ah ! mon Dieu ! je te fais peur, dit Germain,
tu me regardes comme si j'étais le fermier des
Ormeaux. Ne me crains pas, je t'en prie, cela me fait
trop de mal. Je ne te dirai pas de mauvaises paroles,
moi ; je ne t'embrasserai pas malgré toi, et quand tu

voudras que je m'en aille, tu n'auras qu'à me montrer la porte. Voyons, faut-il que je sorte pour que tu finisses de trembler?

Marie tendit la main au laboureur, mais sans détourner sa tête penchée vers le foyer, et sans dire un mot.

— Je comprends, dit Germain; tu me plains, car tu es bonne; tu es fâchée de me rendre malheureux : mais tu ne peux pourtant pas m'aimer?

— Pourquoi me dites-vous de ces choses-là, Germain? répondit enfin la petite Marie, vous voulez donc me faire pleurer?

— Pauvre petite fille, tu as bon cœur, je le sais; mais tu ne n'aimes pas, et tu me caches ta figure parce que tu crains de me laisser voir ton déplaisir et ta répugnance. Et moi! je n'ose pas seulement te serrer la main! Dans le bois, quand mon fils dormait, et que tu dormais aussi, j'ai failli t'embrasser tout doucement. Mais je serais mort de honte plutôt que de te le demander et j'ai autant souffert dans cette nuit-là qu'un homme qui brûlerait à petit feu. Depuis ce temps-là j'ai rêvé à toi toutes les nuits. Ah! comme je t'embrassais, Marie! Mais toi, pendant ce temps-là, tu dormais sans rêver. Et, à présent, sais-tu ce que je pense? c'est que si tu te retournais pour me regarder avec les yeux que j'ai pour toi, et si tu approchais ton visage du mien, je crois que je tomberais mort de joie. Et toi, tu penses que si pareille chose t'arrivait tu en mourrais de colère et de honte!

Germain parlait comme dans un rêve sans entendre

ce qu'il disait. La petite Marie tremblait toujours ;
mais comme il tremblait encore davantage, il ne s'en
apercevait plus. Tout à coup elle se retourna ; elle
était toute en larmes et le regardait d'un air de
reproche. Le pauvre laboureur crut que c'était le
dernier coup, et, sans attendre son arrêt, il se leva
pour partir, mais la jeune fille l'arrêta en l'entourant
de ses deux bras, et, cachant sa tête dans son sein :

— Ah ! Germain, lui dit-elle en sanglotant, vous
n'avez donc pas deviné que je vous aime ?

Germain serait devenu fou, si son fils qui le cherchait et qui entra dans la chaumière au grand galop
sur un bâton, avec sa petite sœur en croupe qui
fouettait avec une branche d'osier ce coursier imaginaire, ne l'eût rappelé à lui-même. Il le souleva
dans ses bras, et le mettant dans ceux de sa fiancée :

— Tiens, lui dit-il, tu as fait plus d'un heureux
en m'aimant !

APPENDICE

I

LES NOCES DE CAMPAGNE

Ici finit l'histoire du mariage de Germain, telle qu'il me l'a racontée lui-même, le fin laboureur qu'il est ! Je te demande pardon, lecteur ami, de n'avoir pas su te la traduire mieux ; car c'est une véritable traduction qu'il faut au langage antique et naïf des paysans de la contrée que *je chante* (comme on disait jadis). Ces gens-là parlent trop français pour nous, et, depuis Rabelais et Montaigne, les progrès de la langue nous ont fait perdre bien des vieilles richesses. Il en est ainsi de tous les progrès, il faut en prendre son parti. Mais c'est encore un plaisir d'entendre ces idiotismes pittoresques régner sur le vieux terroir du centre de la France ; d'autant plus que c'est la véritable expression du caractère moqueusement tranquille et plaisamment disert des gens qui s'en servent. La Touraine a conservé un certain nombre précieux de locutions patriarcales. Mais la Touraine s'est grandement civilisée avec et depuis la Renaissance. Elle s'est couverte de châteaux, de routes, d'étrangers et de mouvement. Le Berry est resté stationnaire, et je crois qu'après la

Bretagne et quelques provinces de l'extrême midi
de la France, c'est le pays le plus *conservé* qui se
puisse trouver à l'heure qu'il est. Certaines coutumes sont si étranges, si curieuses, que j'espère
t'amuser encore un instant, cher lecteur, si tu per-
mets que je te raconte en détail une noce de campagne, celle de Germain, par exemple, à laquelle
j'eus le plaisir d'assister il y a quelques années.

Car, hélas ! tout s'en va. Depuis seulement que
j'existe il s'est fait plus de mouvement dans les idées
et dans les coutumes de mon village, qu'il ne s'en
était vu durant des siècles avant la Révolution. Déjà
la moitié des cérémonies celtiques, païennes ou
moyen âge, que j'ai vues encore en pleine vigueur
dans mon enfance, se sont effacées. Encore un ou
deux ans peut-être, et les chemins de fer passeront
leur niveau sur nos vallées profondes, emportant,
avec la rapidité de la foudre, nos antiques traditions
et nos merveilleuses légendes.

C'était en hiver, aux environs du carnaval, époque
de l'année où il est séant et convenable chez nous de
faire les noces. Dans l'été on n'a guère le temps, et
les travaux d'une ferme ne peuvent souffrir trois
jours de retard, sans parler des jours complémen-
taires affectés à la digestion plus ou moins laborieuse de l'ivresse morale et physique que laisse une
fête. — J'étais assis sous le vaste manteau d'une
antique cheminée de cuisine, lorsque des coups de
pistolet, des hurlements de chiens, et les sons aigus
de la cornemuse m'annoncèrent l'approche des fian-

cés. Bientôt le père et la mère Maurice, Germain et
la petite Marie, suivis de Jacques et de sa femme,
des principaux parents respectifs et des parrains et
marraines des fiancés, firent leur entrée dans la cour.

La petite Marie n'ayant pas encore reçu les
cadeaux de noces, appelés *livrées*, était vêtue de ce
qu'elle avait de mieux dans ses hardes modestes :
une robe de gros drap sombre, un fichu blanc à
grands ramages de couleurs voyantes, un tablier
d'*incarnat*, indienne rouge fort à la mode alors et
dédaignée aujourd'hui, une coiffe de mousseline
très blanche, et dans cette forme heureusement
conservée, qui rappelle la coiffure d'Anne Boleyn
et d'Agnès Sorel[1]. Elle était fraîche et souriante,
point orgueilleuse du tout, quoiqu'il y eût bien de
quoi. Germain était grave et attendri auprès d'elle,
comme le jeune Jacob saluant Rachel aux citernes
de Laban[2]. Toute autre fille eût pris un air d'impor-
tance et une tenue de triomphe ; car, dans tous les
rangs, c'est quelque chose que d'être épousée pour
ses beaux yeux. Mais les yeux de la jeune fille
étaient humides et brillants d'amour ; on voyait
bien qu'elle était profondément éprise, et qu'elle

1. Dans son tableau, *La Vierge et l'enfant*, le peintre Jean Fouquet
aurait, dit-on, pris pour modèle de la Vierge, Agnès Sorel, favorite de
Charles VII. Il est possible que G. Sand ait confondu Anne Boleyn
avec Anne de Clèves, autre femme d'Henri VIII et dont le portrait fut
peint par Holbein. Anne de Clèves porte une coiffe très élégante.
2. Allusion à un passage de la Genèse (XXIX) qui a inspiré les
peintres : Jacob rencontre la fille de Laban, Rachel, près d'une
citerne. Jacob attendit quatorze ans avant de pouvoir épouser Rachel.

n'avait point le loisir de s'occuper de l'opinion des autres. Son petit air résolu ne l'avait point abandonnée ; mais c'était toute franchise et tout bon vouloir chez elle ; rien d'impertinent dans son succès, rien de personnel dans le sentiment de sa force. Je ne vis oncques si gentille fiancée, lorsqu'elle répondait nettement à ses jeunes amies qui lui demandaient si elle était contente. — Dame ! bien sûr ! je ne me plains pas du bon Dieu.

Le père Maurice porta la parole ; il venait faire les compliments et invitations d'usage. Il attacha d'abord au manteau de la cheminée une branche de laurier ornée de rubans ; ceci s'appelle l'*exploit*[1], c'est-à-dire la lettre de faire part ; puis il distribua à chacun des invités une petite croix faite d'un bout de ruban bleu traversé d'un autre bout de ruban rose ; le rose pour la fiancée, le bleu pour l'épouseur ; et les invités des deux sexes durent garder ce signe pour en orner les uns leur cornette, les autres leur boutonnière le jour de la noce. C'est la lettre d'admission, la carte d'entrée.

Alors le père Maurice prononça son compliment. Il invitait le maître de la maison et toute *sa compagnie*, c'est-à-dire tous ses enfants, tous ses parents, tous ses amis et tous ses serviteurs, à la bénédiction, *au festin, à la divertissance, à la dansière et à tout ce qui en suit*. Il ne manqua pas de dire : — Je

---

1. *Exploit* : branche ornée d'un ruban attachée au lit des invités à la noce. (Allusion aux assignations des huissiers.)

viens *vous faire l'honneur* de vous *semondre*[1].
Locution très juste, bien qu'elle nous paraisse un
contresens, puisqu'elle exprime l'idée de rendre les
honneurs à ceux qu'on en juge dignes.

Malgré la libéralité de l'invitation portée ainsi de
maison en maison dans toute la paroisse, la politesse,
qui est grandement discrète chez les paysans, veut
que deux personnes seulement de chaque famille en
profitent, un chef de famille sur le ménage, un de
leurs enfants sur le nombre.

Ces invitations faites, les fiancés et leurs parents
allèrent dîner ensemble à la métairie.

La petite Marie garda ses trois moutons sur le
communal, et Germain travailla la terre comme si
de rien n'était.

La veille du jour marqué pour le mariage, vers
deux heures de l'après-midi, la musique arriva, c'est-
à-dire le *cornemuseux* et le *vielleux*, avec leurs instruments ornés de longs rubans flottants, et jouant
une marche de circonstance, sur un rythme un peu
lent pour des pieds qui ne seraient pas indigènes,
mais parfaitement combiné avec la nature du terrain gras et des chemins ondulés de la contrée. Des
coups de pistolet, tirés par les jeunes gens et les
enfants, annoncèrent le commencement de la noce.
On se réunit peu à peu, et l'on dansa sur la pelouse
devant la maison pour se mettre en train. Quand la
nuit fut venue, on commença d'étranges prépara-

1. *Semondre* : prier.

tifs, on se sépara en deux bandes, et quand la nuit fut close, on procéda à la cérémonie des *livrées*.

Ceci se passait au logis de la fiancée, la chaumière à la Guillette. La Guillette prit avec elle sa fille, une douzaine de jeunes et jolies *pastoures*, amies et parentes de sa fille, deux ou trois respectables matrones, voisines fortes en bec, promptes à la réplique et gardiennes rigides des anciens us. Puis elle choisit une douzaine de vigoureux champions, ses parents et amis ; enfin le vieux *chanvreur* de la paroisse, homme disert et beau parleur s'il en fut.

Le rôle que joue en Bretagne le *bazvalan*[1], le tailleur du village, c'est le broyeur de chanvre ou le cardeur de laine (deux professions souvent réunies en une seule) qui le remplit dans nos campagnes. Il est de toutes les solennités tristes ou gaies, parce qu'il est essentiellement érudit et beau diseur, et dans ces occasions, il a toujours le soin de porter la parole pour accomplir dignement certaines formalités, usitées de temps immémorial. Les professions errantes, qui introduisent l'homme au sein des familles sans lui permettre de se concentrer dans la sienne, sont propres à le rendre bavard, plaisant, conteur et chanteur.

Le broyeur de chanvre est particulièrement sceptique. Lui et un autre fonctionnaire rustique, dont nous parlerons tout à l'heure, le fossoyeur, sont toujours les esprits forts du lieu. Ils ont tant parlé de reve-

---

1. *Bazvalan* : (mot breton) message d'amour.

nants et ils savent si bien tous les tours dont ces malins esprits sont capables, qu'ils ne les craignent guère. C'est particulièrement la nuit que tous, fossoyeurs, chanvreurs et revenants exercent leur industrie. C'est aussi la nuit que le chanvreur raconte ses lamentables légendes. Qu'on me permette une digression…

Quand le chanvre est *arrivé* à point, c'est-à-dire suffisamment trempé dans les eaux courantes et à demi séché à la *rive*, on le rapporte dans la cour des habitations ; on le place debout par petites gerbes qui, avec leurs tiges écartées du bas et leurs têtes liées en boules, ressemblent déjà passablement le soir à une longue procession de petits fantômes blancs, plantés sur leurs jambes grêles, et marchant sans bruit le long des murs.

C'est à la fin de septembre, quand les nuits sont encore tièdes, qu'à la pâle clarté de la lune on commence à broyer. Dans la journée, le chanvre a été chauffé au four ; on l'en retire, le soir, pour le broyer chaud. On se sert pour cela d'une sorte de chevalet surmonté d'un levier en bois, qui, retombant sur des rainures, hache la plante sans la couper. C'est alors qu'on entend la nuit, dans les campagnes, ce bruit sec et saccadé de trois coups frappés rapidement. Puis, un silence se fait ; c'est le mouvement du bras qui retire la poignée de chanvre pour la broyer sur une autre partie de sa longueur. Et les trois coups recommencent ; c'est l'autre bras qui agit sur le levier, et toujours ainsi jusqu'à ce que la lune soit voilée par les premières lueurs de l'aube. Comme ce travail ne dure que quelques jours dans l'année, les chiens ne s'y habituent pas et poussent des hurlements plaintifs vers tous les points de l'horizon.

C'est le temps des bruits insolites et mystérieux dans la campagne. Les grues émigrantes passent dans des régions où, en plein jour, l'œil les distingue à peine. La nuit, on les entend seulement ; et ces voix rauques et gémissantes, perdues dans les nuages, semblent l'appel et l'adieu d'âmes tourmentées qui s'efforcent de trouver le chemin du ciel, et qu'une invincible fatalité force à planer non loin de la terre, autour de la demeure des hommes ; car ces oiseaux voyageurs ont d'étranges incertitudes et de mystérieuses anxiétés dans le cours de leur traversée aérienne. Il leur arrive parfois de perdre le vent, lorsque des brises capricieuses se combattent ou se succèdent dans les hautes régions. Alors on voit, lorsque ces déroutes arrivent durant le jour, le chef de file flotter à l'aventure dans les airs, puis faire volte-face, revenir se placer à la queue de la phalange triangulaire, tandis qu'une savante manœuvre de ses compagnons les ramène bientôt en bon ordre derrière lui. Souvent, après de vains efforts, le guide épuisé renonce à conduire la caravane ; un autre se présente, essaie à son tour, et cède la place à un troisième, qui retrouve le courant et engage victorieusement la marche. Mais que de cris, que de reproches, que de remontrances, que de malédictions sauvages ou de questions inquiètes sont échangés, dans une langue inconnue, entre ces pèlerins ailés !

Dans la nuit sonore, on entend ces clameurs sinistres tournoyer parfois assez longtemps au-dessus des maisons ; et comme on ne peut rien voir, on ressent malgré soi une sorte de crainte et de malaise sympathique, jusqu'à ce que cette nuée sanglotante se soit perdue dans l'immensité.

Il y a d'autres bruits encore qui sont propres à ce moment de l'année, et qui se passent principalement dans les vergers. La cueille des fruits n'est pas encore faite, et mille crépitations inusitées font ressembler les arbres à des êtres animés. Une branche grince, en se courbant, sous un poids arrivé tout à coup à son dernier degré de développement ; ou bien, une pomme se détache et tombe à vos pieds avec un son mat sur la terre humide. Alors vous entendez fuir, en frôlant les branches et les herbes, un être que vous ne voyez pas : c'est le chien du paysan, ce rôdeur curieux, inquiet, à la fois insolent et poltron, qui se glisse partout, qui ne dort jamais, qui cherche toujours on ne sait quoi, qui vous épie, caché dans les broussailles, et prend la fuite au bruit de la pomme tombée, croyant que vous lui lancez une pierre.

C'est durant ces nuits-là, nuits voilées et grisâtres, que le chanvreur raconte ses étranges aventures de follets[1] et de lièvres blancs, d'âmes en peine

---

1. Dans *Promenades autour d'un village, le Berry* (1866), G. Sand a repris quatre articles parus dans *L'Illustration* (1851, 1852, 1855) et intitulés *Les Visions de la nuit dans les campagnes*. Elle y parle à plaisir des superstitions du Berry et entre autres du *follet, fadet* ou *farfadet*.

et de sorciers transformés en loups, de sabbat au
carrefour et de chouettes prophétesses au cimetière.
Je me souviens d'avoir passé ainsi les premières
heures de la nuit autour des *broyes*[1] en mouvement,
dont la percussion impitoyable, interrompant le
récit du chanvreur à l'endroit le plus terrible, nous
faisait passer un frisson glacé dans les veines. Et
souvent aussi le bonhomme continuait à parler en
broyant; et il y avait quatre à cinq mots perdus :
mots effrayants, sans doute, que nous n'osions pas
lui faire répéter, et dont l'omission ajoutait un mystère plus affreux aux mystères déjà si sombres de
son histoire. C'est en vain que les servantes nous
avertissaient qu'il était bien tard pour rester dehors,
et que l'heure de dormir était depuis longtemps son-
née pour nous : elles-mêmes mouraient d'envie
d'écouter encore; et avec quelle terreur ensuite
nous traversions le hameau pour rentrer chez nous !
comme le porche de l'église nous paraissait profond, et l'ombre des vieux arbres épaisse et noire !
Quant au cimetière, on ne le voyait point; on fermait les yeux en le côtoyant.

Mais le chanvreur n'est pas plus que le sacris-
tain adonné exclusivement au plaisir de faire peur ;
il aime à faire rire, il est moqueur et sentimental au
besoin, quand il faut chanter l'amour et l'hymé-
née ; c'est lui qui recueille et conserve dans sa
mémoire les chansons les plus anciennes, et qui

---

1. *Broyes* : instrument qui sert à briser la tige du chanvre.

les transmet à la postérité. C'est donc lui qui est chargé, dans les noces, du personnage que nous allons lui voir jouer à la présentation des livrées de la petite Marie.

LES LIVRÉES

Quand tout le monde fut réuni dans la maison, on
ferma, avec le plus grand soin, les portes et les
fenêtres ; on alla même barricader la lucarne du grenier ; on mit des planches, des tréteaux, des souches
et des tables en travers de toutes les issues, comme si
on se préparait a soutenir un siège ; et il se fit dans
cet intérieur fortifié un silence d'attente assez solennel, jusqu'à ce qu'on entendît au loin des chants, des
rires, et le son des instruments rustiques. C'était la
bande de l'épouseur, Germain en tête, accompagné
de ses plus hardis compagnons, du fossoyeur, des
parents, amis et serviteurs, qui formaient un joyeux
et solide cortège.

Cependant, à mesure qu'ils approchèrent de la
maison, ils se ralentirent, se concertèrent et firent
silence. Les jeunes filles, enfermées dans le logis,
s'étaient ménagé aux fenêtres de petites fentes, par
lesquelles elles les virent arriver et se développer en
ordre de bataille. Il tombait une pluie fine et froide,
qui ajoutait au piquant de la situation, tandis qu'un
grand feu pétillait dans l'âtre de la maison. Marie eût

voulu abréger les lenteurs inévitables de ce siège en règle ; elle n'aimait pas à voir ainsi se morfondre son fiancé, mais elle n'avait pas voix au chapitre dans la circonstance, et même elle devait partager ostensiblement la mutine cruauté de ses compagnes.

Quand les deux camps furent ainsi en présence, une décharge d'armes à feu, partie du dehors, mit en grande rumeur tous les chiens des environs. Ceux de la maison se précipitèrent vers la porte en aboyant, croyant qu'il s'agissait d'une attaque réelle, et les petits enfants que leurs mères s'efforçaient en vain de rassurer, se mirent à pleurer et à trembler. Toute cette scène fut si bien jouée qu'un étranger y eût été pris, et eût songé peut-être à se mettre en état de défense contre une bande de chauffeurs.

Alors le fossoyeur, barde et orateur du fiancé, se plaça devant la porte, et, d'une voix lamentable, engagea avec le chanvreur, placé à la lucarne qui était située au-dessus de la même porte, le dialogue suivant :

LE FOSSOYEUR

Hélas ! mes bonnes gens, mes chers paroissiens, pour l'amour de Dieu, ouvrez-moi la porte.

LE CHANVREUR

Qui êtes-vous donc, et pourquoi prenez-vous la licence de nous appeler vos chers paroissiens ? Nous ne vous connaissons pas.

LE FOSSOYEUR

Nous sommes d'honnêtes gens bien en peine. N'ayez peur de nous, mes amis ! donnez-nous l'hospitalité. Il tombe du verglas, nos pauvres pieds sont gelés, et nous revenons de si loin que nos sabots en sont fendus.

LE CHANVREUR

Si vos sabots sont fendus, vous pouvez chercher par terre ; vous trouverez bien un brin d'oisil (osier) pour faire des *arcelets* (petites lames de fer en forme d'arcs qu'on place sur les sabots fendus pour les consolider).

LE FOSSOYEUR

Des arcelets d'oisil, ce n'est guère solide. Vous vous moquez de nous, bonnes gens, et vous feriez mieux de nous ouvrir. On voit luire une belle flamme dans votre logis ; sans doute vous avez mis la broche, et on se réjouit chez vous le cœur et le ventre. Ouvrez donc à de pauvres pèlerins qui mourront à votre porte si vous ne leur faites merci.

LE CHANVREUR

Ah ! ah ! vous êtes des pèlerins ? vous ne nous disiez pas cela. Et de quel pèlerinage arrivez-vous, s'il vous plaît !

LE FOSSOYEUR

Nous vous dirons cela quand vous nous aurez ouvert la porte, car nous venons de si loin que vous ne voudriez pas le croire.

LE CHANVREUR

Vous ouvrir la porte ? oui-da ! nous ne saurions nous fier à vous. Voyons : est-ce de Saint-Sylvain de Pouligny que vous arrivez ?

LE FOSSOYEUR

Nous avons été à Saint-Sylvain de Pouligny, mais nous avons été bien plus loin encore.

LE CHANVREUR

Alors vous avez été jusqu'à Sainte-Solange ?

LE FOSSOYEUR

À Sainte-Solange nous avons été, pour sûr ; mais nous avons été plus loin encore.

LE CHANVREUR

Vous mentez ; vous n'avez même jamais été jusqu'à Sainte-Solange.

LE FOSSOYEUR

Nous avons été plus loin, car, à cette heure, nous arrivons de Saint-Jacques de Compostelle[1].

LE CHANVREUR

Quelle bêtise nous contez-vous? Nous ne connaissons pas cette paroisse-là. Nous voyons bien que vous êtes de mauvaises gens, des brigands, des *rien du tout* et des menteurs. Allez plus loin chanter vos sornettes; nous sommes sur nos gardes, et vous n'entrerez point céans.

LE FOSSOYEUR

Hélas! mon pauvre homme, ayez pitié de nous! Nous ne sommes pas des pèlerins, vous l'avez deviné; mais nous sommes de malheureux braconniers poursuivis par des gardes. Mêmement les gendarmes sont après nous, et, si vous ne nous faites point cacher dans votre fenil, nous allons être pris et conduits en prison.

LE CHANVREUR

Et qui nous prouvera que, cette fois-ci, vous soyez ce que vous dites? car voilà déjà un mensonge que vous n'avez pas pu soutenir.

1. Il y a un village au sud de La Châtre qui s'appelle, non pas Saint-Sylvain, mais Saint-Martin de Pouligny. Sainte-Solange est un village du Cher. Saint-Jacques de Compostelle, cité ici d'une façon hyperbolique, est le célèbre pèlerinage espagnol.

LE FOSSOYEUR

Si vous voulez nous ouvrir, nous vous montre-rons une belle pièce de gibier que nous avons tuée.

LE CHANVREUR

Montrez-la tout de suite, car nous sommes en méfiance.

LE FOSSOYEUR

Eh bien, ouvrez une porte ou une fenêtre, qu'on vous passe la bête.

LE CHANVREUR

Oh ! que nenni ! pas si sot ! Je vous regarde par un petit pertuis ! et je ne vois parmi vous ni chas-seurs, ni gibier.

Ici un garçon bouvier, trapu et d'une force her-culéenne, se détacha du groupe où il se tenait inaperçu, éleva vers la lucarne une oie plumée, pas-sée dans une forte broche de fer, ornée de bouquets de paille et de rubans.

— Oui-da ! s'écria le chanvreur, après avoir passé avec précaution un bras dehors pour tâter le rôt ; ceci n'est point une caille, ni une perdrix ; ce n'est ni un lièvre, ni un lapin ; c'est quelque chose comme une oie ou un dindon. Vraiment, vous êtes de beaux chasseurs ! et ce gibier-là ne vous a guère fait courir. Allez plus loin, mes drôles ! toutes vos menteries sont connues, et vous pouvez bien aller chez vous faire cuire votre souper. Vous ne mangerez pas le nôtre.

LE FOSSOYEUR

Hélas ! mon Dieu, où irons-nous faire cuire notre gibier ? C'est bien peu de chose pour tant de monde que nous sommes ; et, d'ailleurs, nous n'avons ni feu ni lieu. À cette heure-ci toutes les portes sont fermées, tout le monde est couché ; il n'y a que vous qui fassiez la noce dans votre maison, et il faut que vous ayez le cœur bien dur pour nous laisser transir dehors. Ouvrez-nous, braves gens, encore une fois ; nous ne vous occasionnerons pas de dépenses. Vous voyez bien que nous apportons le rôti ; seulement un peu de place à votre foyer, un peu de flamme pour le faire cuire, et nous nous en irons contents.

LE CHANVREUR

Croyez-vous qu'il y ait trop de place chez nous, et que le bois ne nous coûte rien ?

LE FOSSOYEUR

Nous avons là une petite botte de paille pour faire le feu, nous nous en contenterons ; donnez-nous seulement la permission de mettre la broche en travers à votre cheminée.

LE CHANVREUR

Cela ne sera point; vous nous faites dégoût et point du tout pitié. M'est avis que vous êtes ivres, que vous n'avez besoin de rien, et que vous voulez entrer chez nous pour voler notre feu et nos filles.

LE FOSSOYEUR

Puisque vous ne voulez entendre à aucune bonne raison, nous allons entrer chez vous par force.

LE CHANVREUR

Essayez, si vous voulez. Nous sommes assez bien renfermés pour ne pas vous craindre. Et puisque vous êtes insolents, nous ne vous répondrons pas davantage.

Là-dessus le chanvreur ferma à grand bruit l'huis de la lucarne, et redescendit dans la chambre au-dessous, par une échelle. Puis il reprit la fiancée par la main, et les jeunes gens des deux sexes se joignant à eux, tous se mirent à danser et à crier joyeusement tandis que les matrones chantaient d'une voix perçante, et poussaient de grands éclats de rire en signe de mépris et de bravade contre ceux du dehors qui tentaient l'assaut.

Les assiégeants, de leur côté, faisaient rage : ils déchargeaient leurs pistolets dans les portes, faisaient gronder les chiens, frappaient de grands coups sur les murs, secouaient les volets, poussaient des cris effroyables ; enfin c'était un vacarme à ne pas s'entendre, une poussière et une fumée à ne se point voir.

Pourtant cette attaque était simulée : le moment n'était pas venu de violer l'étiquette. Si l'on parvenait, en rôdant, à trouver un passage non gardé, une ouverture quelconque, on pouvait chercher à s'introduire par surprise, et alors, si le porteur de la broche arrivait à mettre son rôti au feu, la prise de possession du foyer ainsi constatée, la comédie finissait et le fiancé était vainqueur.

Mais les issues de la maison n'étaient pas assez nombreuses pour qu'on eût négligé les précautions d'usage, et nul ne se fût arrogé le droit d'employer la violence avant le moment fixé pour la lutte.

Quand on fut las de sauter et de crier, le chanvreur songea à capituler. Il remonta à sa lucarne, l'ouvrit avec précaution, et salua les assiégeants désappointés par un éclat de rire.

— Eh bien, mes gars, dit-il, vous voilà bien penauds ! Vous pensiez que rien n'était plus facile que d'entrer céans, et vous voyez que notre défense est bonne. Mais nous commençons à avoir pitié de vous, si vous voulez vous soumettre et accepter nos conditions.

LE FOSSOYEUR

Parlez, mes braves gens ; dites ce qu'il faut faire pour approcher de votre foyer.

LE CHANVREUR

Il faut chanter, mes amis, mais chanter une chanson que nous ne connaissions pas, et à laquelle nous ne puissions pas répondre par une meilleure.

— Qu'à cela ne tienne ! répondit le fossoyeur, et il entonna d'une voix puissante :

— *Voilà six mois que c'était le printemps,*

— *Me promenais sur l'herbette naissante*, répondit le chanvreur d'une voix un peu enrouée, mais terrible. Vous moquez-vous, mes pauvres gens, de nous chanter une pareille vieillerie ? vous voyez bien que nous vous arrêtons au premier mot !

— *C'était la fille d'un prince...*

— *Qui voulait se marier*, répondit le chanvreur. Passez, passez à une autre ! nous connaissons celle-là un peu trop.

LE FOSSOYEUR

Voulez-vous celle-ci ?
— *En revenant de Nantes...*

LE CHANVREUR

— *J'étais bien fatigué, voyez ! J'étais bien fatigué.*
Celle-là est du temps de ma grand'mère. Voyons-en une autre !

LE FOSSOYEUR

— *L'autre jour en me promenant...*

LE CHANVREUR

— *Le long de ce bois charmant !* En voilà une qui est bête ! Nos petits enfants ne voudraient pas se donner la peine de vous répondre ! Quoi ! voilà tout ce que vous savez ?

LE FOSSOYEUR

Oh ! nous vous en dirons tant que vous finirez par rester court.

Il se passa bien une heure à combattre ainsi. Comme les deux antagonistes étaient les deux plus forts du pays sur la chanson, et que leur répertoire semblait inépuisable, cela eût pu durer toute la nuit, d'autant plus que le chanvreur mit un peu de malice à laisser chanter certaines complaintes en dix, vingt ou trente couplets, feignant, par son silence, de se déclarer vaincu. Alors on triomphait dans le camp du fiancé, on chantait en chœur à pleine voix, et on croyait que cette fois la partie adverse ferait défaut ; mais, à la moitié du couplet final, on entendait la voix rude et enrhumée du vieux chanvreur beugler les derniers vers ; après quoi il s'écriait : — Vous n'aviez pas besoin de vous fatiguer à en dire une si

longue, mes enfants ! Nous la savions sur le bout du
doigt !

Une ou deux fois pourtant le chanvreur fit la grimace, fronça le sourcil et se retourna d'un air
désappointé vers les matrones attentives. Le fossoyeur chantait quelque chose de si vieux, que son
adversaire l'avait oublié, ou peut-être qu'il ne
l'avait jamais su ; mais aussitôt les bonnes commères nasillaient, d'une voix aigre comme celle de
la mouette, le refrain victorieux ; et le fossoyeur,
sommé de se rendre, passait à d'autres essais.

Il eût été trop long d'attendre de quel côté reste-
rait la victoire. Le parti de la fiancée déclara qu'il
faisait grâce à condition qu'on offrirait à celle-ci un
présent digne d'elle.

Alors commença le chant des livrées sur un air
solennel comme un chant d'église.

Les hommes du dehors dirent en basse-taille à
l'unisson :

> *Ouvrez la porte, ouvrez,*
> *Marie, ma mignonne,*
> *J'ons de beaux cadeaux à vous présenter.*
> *Hélas ! ma mie, laissez-nous entrer.*

À quoi les femmes répondirent de l'intérieur, et
en fausset, d'un ton dolent :

> *Mon père est en chagrin, ma mère en grand*
> [*tristesse,*

> *Et moi je suis fille de trop grand merci*
> *Pour ouvrir ma porte* à cette heure ici.

Les hommes reprirent le premier couplet jusqu'au quatrième vers, qu'ils modifièrent de la sorte :

> *J'ons un beau mouchoir à vous présenter.*

Mais, au nom de la fiancée, les femmes répondirent de même que la première fois.

Pendant vingt couplets, au moins, les hommes énumérèrent tous les cadeaux de la livrée, mentionnant toujours un objet nouveau dans le dernier vers : un beau *devanteau* (tablier), de beaux rubans, un habit de drap, de la dentelle, une croix d'or, et jusqu'à *un cent d'épingles* pour compléter la modeste corbeille de la mariée. Le refus des matrones était irrévocable ; mais enfin les garçons se décidèrent à parler *d'un beau mari à leur présenter*, et elles répondirent en s'adressant à la mariée, en lui chantant avec les hommes :

> *Ouvrez la porte, ouvrez,*
> *Marie, ma mignonne,*
> *C'est un beau mari qui vient vous chercher,*
> *Allons, ma mie, laissons-les entrer*[1]

---

1. Sur ces chansons, voir dans l'ouvrage de P. Benichou, *Nerval et la chanson folklorique* (Corti, 1970), les p. 152-160 consacrées à G. Sand.

III

LE MARIAGE

Aussitôt le chanvreur tira la cheville de bois qui
fermait la porte à l'intérieur : c'était encore, à cette
époque, la seule serrure connue dans la plupart des
habitations de notre hameau. La bande du fiancé fit
irruption dans la demeure de la fiancée, mais non
sans combat ; car les garçons cantonnés dans la
maison, même le vieux chanvreur et les vieilles
commères se mirent en devoir de garder le foyer.
Le porteur de la broche, soutenu par les siens,
devait arriver à planter le rôti dans l'âtre. Ce fut une
véritable bataille, quoiqu'on s'abstînt de se frapper
et qu'il n'y eût point de colère dans cette lutte.
Mais on se poussait et on se pressait si étroitement,
et il y avait tant d'amour-propre en jeu dans cet
essai de forces musculaires, que les résultats pouvaient être plus sérieux qu'ils ne le paraissaient à
travers les rires et les chansons. Le pauvre vieux
chanvreur, qui se débattait comme un lion, fut collé
à la muraille et serré par la foule, jusqu'à perdre la
respiration. Plus d'un champion renversé fut foulé
aux pieds involontairement, plus d'une main cram-

ponnée à la broche fut ensanglantée. Ces jeux sont dangereux, et les accidents ont été assez graves dans les derniers temps pour que nos paysans aient résolu de laisser tomber en désuétude la cérémonie des livrées[1]. Je crois que nous avons vu la dernière à la noce de Françoise Meillant et encore la lutte ne fut-elle que simulée[2].

Cette lutte fut encore assez passionnée à la noce de Germain. Il y avait une question de point d'honneur de part et d'autre à envahir et à défendre le foyer de la Guillette. L'énorme broche de fer fut tordue comme une vis sous les vigoureux poignets qui se la disputaient. Un coup de pistolet mit le feu à une petite provision de chanvre en *poupées*, placée sur une claie, au plafond. Cet incident fit diversion, et, tandis que les uns s'empressaient d'étouffer ce germe d'incendie, le fossoyeur, qui était grimpé au grenier sans qu'on s'en aperçût, descendit par la cheminée, et saisit la broche au moment où le bouvier, qui la défendait auprès de l'âtre, l'élevait au-dessus de sa tête pour empêcher qu'elle ne lui fût

1. Dans l'ouvrage *Promenades autour d'un village*, p. 175, G. Sand raconte : « Un jour, la scène fut ensanglantée par un accident sérieux. Un des conviés fut littéralement embroché dans la bataille. Dès lors la cérémonie tomba en désuétude ; on fut d'accord sur tous les points de la supprimer et nous avons vu la dernière il y a dix ans. »
2. Françoise Meillant est un personnage authentique. Domestique de G. Sand, elle se remaria en 1843 avec Jean Aucante. Le mariage fut célébré à Saint-Chartier, comme celui de Germain et de Marie. C'est à Saint-Chartier que se trouvait l'église qui desservait la paroisse de Nohant.

arrachée. Quelque temps avant la prise d'assaut, les matrones avaient eu le soin d'éteindre le feu, de crainte qu'en se débattant auprès, quelqu'un ne vînt à y tomber et à se brûler. Le facétieux fossoyeur, d'accord avec le bouvier, s'empara donc du trophée sans difficulté et le jeta en travers sur les *landiers*. C'en était fait ! Il n'était plus permis d'y toucher. Il sauta au milieu de la chambre et alluma un reste de paille, qui entourait la broche, pour faire le simulacre de la cuisson du rôti, car l'oie était en pièces et jonchait le plancher de ses membres épars.

Il y eut alors beaucoup de rires et de discussions fanfaronnes. Chacun montrait les horions qu'il avait reçus, et comme c'était souvent la main d'un ami qui avait frappé, personne ne se plaignit ni se querella. Le chanvreur, à demi aplati, se frottait les reins, disant qu'il s'en souciait fort peu, mais qu'il protestait contre la ruse de son compère le fossoyeur, et que, s'il n'eût été à demi mort, le foyer n'eût pas été conquis si facilement. Les matrones balayaient le pavé, et l'ordre se faisait. La table se couvrait de brocs de vin nouveau. Quand on eut trinqué ensemble et repris haleine, le fiancé fut amené au milieu de la chambre, et, armé d'une baguette, il dut se soumettre à une nouvelle épreuve.

Pendant la lutte, la fiancée avait été cachée avec trois de ses compagnes par sa mère, sa marraine et ses tantes, qui avaient fait asseoir les quatre jeunes filles sur un banc, dans un coin reculé de la salle, et les avaient couvertes d'un grand drap blanc. Les trois compagnes avaient été choisies de la même taille que Marie, et leurs cornettes de hauteur identique, de sorte que le drap leur couvrant la tête et les enveloppant jusque par-dessous les pieds, il était impossible de les distinguer l'une de l'autre.

Le fiancé ne devait les toucher qu'avec le bout de sa baguette, et seulement pour désigner celle qu'il jugeait être sa femme. On lui donnait le temps d'examiner, mais avec les yeux seulement, et les matrones, placées à ses côtés, veillaient rigoureusement à ce qu'il n'y eût point de supercherie. S'il se trompait, il ne pouvait danser de la soirée avec sa fiancée, mais seulement avec celle qu'il avait choisie par erreur.

Germain, se voyant en présence de ces fantômes enveloppés sous le même suaire, craignait fort de se tromper ; et, de fait, cela était arrivé à bien d'autres, car les précautions étaient toujours prises avec un soin consciencieux. Le cœur lui battait. La petite Marie essayait bien de respirer fort et d'agiter un peu le drap, mais ses malignes rivales en faisaient autant, poussaient le drap avec leurs doigts, et il y avait autant de signes mystérieux que de jeunes filles sous le voile. Les cornettes carrées maintenaient ce voile si également qu'il était impossible de voir la forme d'un front dessiné par ses plis.

Germain, après dix minutes d'hésitation, ferma les yeux, recommanda son âme à Dieu, et tendit la baguette au hasard. Il toucha le front de la petite Marie, qui jeta le drap loin d'elle en criant victoire.

Il eut alors la permission de l'embrasser, et, l'enlevant dans ses bras robustes, il la porta au milieu de la chambre, et ouvrit avec elle le bal, qui dura jusqu'à deux heures du matin.

Alors on se sépara pour se réunir à huit heures. Comme il y avait un certain nombre de jeunes gens venus des environs, et qu'on n'avait pas de lits pour tout le monde, chaque invitée du village reçut dans son lit deux ou trois jeunes compagnes, tandis que les garçons allèrent pêle-mêle s'étendre sur le fourrage du grenier de la métairie. Vous pouvez bien penser que là ils ne dormirent guère, car ils ne songèrent qu'à se lutiner les uns les autres, à échanger des lazzis et à se conter de folles histoires. Dans les noces, il y a de rigueur trois nuits blanches, qu'on ne regrette point.

À l'heure marquée pour le départ, après qu'on eut mangé la soupe au lait relevée d'une forte dose de poivre, pour se mettre en appétit, car le repas de noces promettait d'être copieux, on se rassembla dans la cour de la ferme. Notre paroisse étant supprimée, c'est à une demi-lieue de chez nous qu'il fallait aller chercher la bénédiction nuptiale. Il faisait un beau temps frais, mais les chemins étant fort gâtés, chacun s'était muni d'un cheval, et chaque homme prit en croupe une compagne jeune ou vieille. Germain partit sur la *Grise*, qui, bien pansée, ferrée à neuf et ornée de rubans, piaffait et jetait le feu par les naseaux. Il alla chercher sa fiancée à la chaumière avec son beau-frère Jacques, lequel, monté sur la vieille *Grise*, prit la bonne mère Guillette en croupe tandis que Germain rentra dans la cour de la ferme, amenant sa chère petite femme d'un air de triomphe.

Puis la joyeuse cavalcade se mit en route, escortée par les enfants à pied, qui couraient en tirant des coups de pistolet et faisaient bondir les chevaux. La mère Maurice était montée sur une petite charrette avec les trois enfants de Germain et les ménétriers. Ils ouvraient la marche au son des instruments. Petit-Pierre était si beau, que la vieille grand'mère en était tout orgueilleuse. Mais l'impétueux enfant ne tint pas longtemps à ses côtés. À un temps d'arrêt qu'il fallut faire à mi-chemin pour s'engager dans un passage difficile, il s'esquiva et alla supplier son père de l'asseoir devant lui sur la *Grise*.

— Oui-da ! répondit Germain, cela va nous attirer de mauvaises plaisanteries ! Il ne faut point.

— Je ne me soucie guère de ce que diront les gens de Saint-Chartier, dit la petite Marie. Prenez-le, Germain, je vous en prie : je serai encore plus fière de lui que de ma toilette de noces.

Germain céda, et le beau trio s'élança dans les rangs au galop triomphant de la *Grise*.

Et, de fait, les gens de Saint-Chartier, quoique très railleurs et un peu taquins à l'endroit des paroisses environnantes réunies à la leur, ne songèrent point à rire en voyant un si beau marié, une si jolie mariée, et un enfant qui eût fait envie à la femme d'un roi. Petit-Pierre avait un habit complet de drap

bleu barbeau, un gilet rouge si coquet et si court qu'il
ne lui descendait guère au-dessous du menton. Le
tailleur du village lui avait si bien serré les entour-
nures qu'il ne pouvait rapprocher ses deux petits
bras. Aussi comme il était fier ! Il avait un chapeau
rond avec une ganse noir et or, et une plume de
paon sortant crânement d'une touffe de plumes de
pintade. Un bouquet de fleurs plus gros que sa tête
lui couvrait l'épaule, et les rubans lui flottaient jusqu'aux pieds. Le chanvreur, qui était aussi le bar-
bier et le perruquier de l'endroit, lui avait coupé les
cheveux en rond, en lui couvrant la tête d'une
écuelle et retranchant tout ce qui passait, méthode
infaillible pour assurer le coup de ciseau. Ainsi
accoutré, le pauvre enfant était moins poétique, à
coup sûr, qu'avec ses longs cheveux au vent et sa
peau de mouton à la saint Jean-Baptiste ; mais il
n'en croyait rien, et tout le monde l'admirait, disant
qu'il avait l'air d'un petit homme. Sa beauté triomphait de tout, et de quoi ne triompherait pas, en
effet, l'incomparable beauté de l'enfance ?

Sa petite sœur Solange avait, pour la première
fois de sa vie, une cornette à la place du béguin
d'indienne que portent les petites filles jusqu'à
l'âge de deux ou trois ans. Et quelle cornette ! plus
haute et plus large que tout le corps de la pauvrette.
Aussi comme elle se trouvait belle ! Elle n'osait pas
tourner la tête, et se tenait toute raide, pensant
qu'on la prendrait pour la mariée.

Quant au petit Sylvain, il était encore en robe, et,

endormi sur les genoux de sa grand'mère, il ne se doutait guère de ce que c'est qu'une noce.

Germain regardait ses enfants avec amour, et en arrivant à la mairie, il dit à sa fiancée :

— Tiens, Marie, j'arrive là un peu plus content que le jour où je t'ai ramenée chez nous, des bois de Chanteloube, croyant que tu ne m'aimerais jamais ; je te pris dans mes bras pour te mettre à terre comme à présent ; mais je pensais que nous ne nous retrouverions plus jamais sur la pauvre bonne Grise avec cet enfant sur nos genoux. Tiens, je t'aime tant, j'aime tant ces pauvres petits, je suis si heureux que tu m'aimes, et que tu les aimes, et que mes parents t'aiment, et j'aime tant ta mère et mes amis, et tout le monde aujourd'hui, que je voudrais avoir trois ou quatre cœurs pour y suffire. Vrai, c'est trop peu d'un pour y loger tant d'amitiés et tant de contentement ! J'en ai comme mal à l'estomac.

Il y eut une foule à la porte de la mairie et de l'église pour regarder la jolie mariée. Pourquoi ne dirions-nous pas son costume ? Il lui allait si bien ! Sa cornette de mousseline claire et brodée partout, avait les barbes garnies de dentelle. Dans ce temps-là, les paysannes ne se permettaient pas de montrer un seul cheveu ; et quoiqu'elles cachent sous leurs cornettes de magnifiques chevelures roulées dans des rubans de fil blanc pour soutenir la coiffe, encore aujourd'hui ce serait une action indécente et honteuse que de se montrer aux hommes la tête nue. Cependant elles se permettent à présent de laisser sur le front un mince bandeau qui les embellit beaucoup. Mais je regrette la coiffure classique de mon temps ; ces dentelles blanches à cru sur la peau avaient un caractère d'antique chasteté qui me semblait plus solennel, et quand une figure était belle ainsi, c'était d'une beauté dont rien ne peut exprimer le charme et la majesté naïve.

La petite Marie portait encore cette coiffure, et son front était si blanc et si pur, qu'il défiait le blanc du linge de l'assombrir. Quoiqu'elle n'eût pas fermé l'œil de la nuit, l'air du matin et surtout la joie intérieure d'une âme aussi limpide que le ciel, et puis encore un peu de flamme secrète, contenue par la pudeur de l'adolescence, lui faisaient monter aux joues un éclat aussi suave que la fleur du pêcher aux premiers rayons d'avril.

Son fichu blanc, chastement croisé sur son sein, ne laissait voir que les contours délicats d'un cou arrondi comme celui d'une tourterelle ; son déshabillé de drap fin vert myrte dessinait sa petite taille, qui semblait parfaite, mais qui devait grandir et se développer encore, car elle n'avait pas dix-sept ans. Elle portait un tablier de soie violet pensée, avec la bavette, que nos villageoises ont eu le tort de supprimer et qui donnait tant d'élégance et de modestie à la poitrine. Aujourd'hui elles étalent leur fichu avec plus d'orgueil, mais il n'y a plus dans leur toilette cette fine fleur d'antique pudicité qui les faisait ressembler à des vierges d'Holbein. Elles sont plus coquettes, plus gracieuses. Le bon genre autre-

fois était une sorte de raideur sévère qui rendait leur
rare sourire plus profond et plus idéal.

À l'offrande, Germain mit, selon l'usage, le *treizain*, c'est-à-dire treize pièces d'argent, dans la
main de sa fiancée. Il lui passa au doigt une bague
d'argent, d'une forme invariable depuis des siècles,
mais que *l'alliance d'or* a remplacée désormais. Au
sortir de l'église, Marie lui dit tout bas : Est-ce bien
la bague que je souhaitais ? celle que je vous ai
demandée, Germain ?

— Oui, répondit-il, celle que Catherine avait au
doigt lorsqu'elle est morte. C'est la même bague
pour mes deux mariages.

— Je vous remercie, Germain, dit la jeune
femme d'un ton sérieux et pénétré. Je mourrai avec,
et si c'est avant vous, vous la garderez pour le
mariage de votre petite Solange.

IV

LE CHOU

On remonta à cheval et on revint très vite à Belair.
Le repas fut splendide, et dura, entremêlé de danses
et de chants, jusqu'à minuit. Les vieux ne quittèrent
point la table pendant quatorze heures. Le fossoyeur
fit la cuisine et la fit fort bien. Il était renommé pour
cela, et il quittait ses fourneaux pour venir danser et
chanter entre chaque service. Il était épileptique
pourtant, ce pauvre père Bontemps ! Qui s'en serait
douté ? Il était frais, fort, et gai comme un jeune
homme. Un jour nous le trouvâmes comme mort,
tordu par son mal dans un fossé, à l'entrée de la nuit.
Nous le rapportâmes chez nous dans une brouette, et
nous passâmes la nuit à le soigner. Trois jours après
il était de noce, chantait comme une grive et sautait
comme un cabri, se trémoussant à l'ancienne mode.
En sortant d'un mariage, il allait creuser une fosse et
clouer une bière. Il s'en acquittait pieusement, et
quoiqu'il n'y parût point ensuite à sa belle humeur,
il en conservait une impression sinistre qui hâtait le
retour de son accès. Sa femme, paralytique, ne bou-
geait de sa chaise depuis vingt ans. Sa mère en a cent

quatre, et vit encore. Mais lui, le pauvre homme, si gai, si bon, si amusant, il s'est tué l'an dernier en tombant de son grenier sur le pavé. Sans doute, il était en proie au fatal accès de son mal, et, comme d'habitude, il s'était caché dans le foin pour ne pas effrayer et affliger sa famille. Il termina ainsi, d'une manière tragique, une vie étrange comme lui-même, un mélange de choses lugubres et folles, terribles et riantes, au milieu desquelles son cœur était toujours resté bon et son caractère aimable.

Mais nous arrivons à la troisième journée des noces, qui est la plus curieuse, et qui s'est maintenue dans toute sa rigueur jusqu'à nos jours. Nous ne parlerons pas de la rôtie que l'on porte au lit nuptial ; c'est un assez sot usage qui fait souffrir la pudeur de la mariée et tend à détruire celle des jeunes filles qui y assistent. D'ailleurs je crois que c'est un usage de toutes les provinces, et qui n'a chez nous rien de particulier.

De même que la cérémonie des *livrées* est le symbole de la prise de possession du cœur et du domicile de la mariée, celle du *chou* est le symbole de la fécondité de l'hymen. Après le déjeuner du lendemain de noces commence cette bizarre représentation d'origine gauloise, mais qui en passant par le christianisme primitif est devenue peu à peu une sorte de *mystere*, ou de moralité bouffonne du moyen âge[1].

1. Dans *Promenades autour d'un village*, p. 160, G. Sand revient sur l'idée : «Lorsque le christianisme s'introduisit dans les campagnes de France, il n'y put vaincre le paganisme qu'en donnant

Deux garçons (les plus enjoués et les mieux disposés de la bande) disparaissent pendant le déjeuner, vont se costumer, et enfin reviennent escortés de la musique, des chiens, des enfants et des coups de pistolet. Ils représentent un couple de gueux, mari et femme, couverts de haillons les plus misérables. Le mari est le plus sale des deux : c'est le vice qui l'a ainsi dégradé ; la femme n'est que malheureuse et avilie par les désordres de son époux.

Ils s'intitulent le *jardinier* et la *jardinière*, et se disent préposés à la garde et à la culture du chou sacré. Mais le mari porte diverses qualifications qui toutes ont un sens. On l'appelle indifféremment le *pailloux*, parce qu'il est coiffé d'une perruque de paille et de chanvre, et que, pour cacher sa nudité mal garantie par ses guenilles, il s'entoure les jambes et une partie du corps de paille. Il se fait aussi un gros ventre ou une bosse avec de la paille ou du foin cachés sous sa blouse. Le *peilloux*, parce qu'il est couvert de *peille* (de guenilles). Enfin, le *païen*, ce qui est plus significatif encore, parce qu'il est censé par son cynisme et ses débauches, résumer en lui l'antipode de toutes les vertus chrétiennes.

Il arrive, le visage barbouillé de suie et de lie de vin, quelquefois affublé d'un masque grotesque.

---

droit de cité dans son culte à diverses cérémonies antiques pour lesquelles les paysans avaient un attachement invincible. » En outre, elle suggère ici que la cérémonie païenne est devenue pièce de théâtre au Moyen Âge.

Une mauvaise tasse de terre ébréchée, ou un vieux sabot, pendu à sa ceinture par une ficelle, lui sert à demander l'aumône du vin. Personne ne lui refuse, et il feint de boire, puis il répand le vin par terre, en signe de libation. À chaque pas, il tombe, il se roule dans la boue ; il affecte d'être en proie à l'ivresse la plus honteuse. Sa pauvre femme court après lui, le ramasse, appelle au secours, arrache les cheveux de chanvre qui sortent en mèches hérissées de sa cornette immonde, pleure sur l'abjection de son mari et lui fait des reproches pathétiques.

— Malheureux ! lui dit-elle, vois où nous a réduits ta mauvaise conduite ! J'ai beau filer, travailler pour toi, raccommoder tes habits ! tu te déchires, tu te souilles sans cesse. Tu m'as mangé mon pauvre bien, nos six enfants sont sur la paille, nous vivons dans une étable avec les animaux ; nous voilà réduits à demander l'aumône, et encore tu es si laid, si dégoûtant, si méprisé, que bientôt on nous jettera le pain comme à des chiens. Hélas ! mes pauvres *mondes*[1] (mes pauvres gens), ayez pitié de nous ! ayez pitié de moi ! Je n'ai pas mérité mon sort, et jamais femme n'a eu un mari plus malpropre et plus détestable. Aidez-moi à le ramasser, autrement les voitures l'écraseront comme un vieux tesson de bouteille, et je serai veuve, ce qui achèverait de me faire mourir de chagrin, quoique tout le monde dise que ce serait un bonheur pour moi.

1. *Mondes* : gens

Tel est le rôle de la jardinière et ses lamentations continuelles durant toute la pièce. Car c'est une véritable comédie libre, improvisée, jouée en plein air, sur les chemins, à travers champs, alimentée par tous les accidents fortuits qui se présentent, et à laquelle tout le monde prend part, gens de la noce et du dehors, hôtes des maisons et passants des chemins pendant trois ou quatre heures de la journée, ainsi qu'on va le voir. Le thème est invariable, mais on brode à l'infini sur ce thème, et c'est là qu'il faut voir l'instinct mimique, l'abondance d'idées bouffonnes, la faconde, l'esprit de repartie, et même l'éloquence naturelle de nos paysans.

Le rôle de la jardinière est ordinairement confié à un homme mince, imberbe et à teint frais, qui sait donner une grande vérité à son personnage, et jouer le désespoir burlesque avec assez de naturel pour qu'on en soit égayé et attristé en même temps comme d'un fait réel. Ces hommes maigres et imberbes ne sont pas rares dans nos campagnes, et, chose étrange, ce sont parfois les plus remarquables pour la force musculaire.

Après que le malheur de la femme est constaté, les jeunes gens de la noce l'engagent à laisser là son ivrogne de mari, et à se divertir avec eux. Ils lui offrent le bras et l'entraînent. Peu à peu elle s'abandonne, s'égaie et se met à courir, tantôt avec l'un, tantôt avec l'autre, prenant des allures dévergondées : nouvelle *moralité*, l'inconduite du mari provoque et amène celle de la femme.

Le païen se réveille alors de son ivresse, il cherche des yeux sa compagne, s'arme d'une corde et d'un bâton, et court après elle. On le fait courir, on se cache, on passe la femme de l'un à l'autre, on essaie de la distraire et de tromper le jaloux. Ses *amis* s'efforcent de l'enivrer. Enfin il rejoint son infidèle et veut la battre. Ce qu'il y a de plus réel et de mieux observé dans cette parodie des misères de la vie conjugale, c'est que le jaloux ne s'attaque jamais à ceux qui lui enlèvent sa femme. Il est fort poli et prudent avec eux, il ne veut s'en prendre qu'à la coupable, parce qu'elle est censée ne pouvoir lui résister.

Mais au moment où il lève son bâton et apprête sa corde pour attacher la délinquante, tous les hommes de la noce s'interposent et se jettent entre les deux époux. — *Ne la battez pas ! ne battez jamais votre femme !* est la formule qui se répète à satiété dans ces scènes. On désarme le mari, on le force à pardonner, à embrasser sa femme, et bientôt il affecte de l'aimer plus que jamais. Il s'en va bras dessus, bras dessous avec elle, en chantant et en dansant, jusqu'à ce qu'un nouvel accès d'ivresse le fasse rouler par terre ; et alors recommencent les lamentations de la femme, son découragement, ses égarements simulés, la jalousie du mari, l'intervention des voisins, et le raccommodement. Il y a dans tout cela un enseignement naïf, grossier même, qui sent fort son origine moyen âge, mais qui fait toujours impression, sinon sur les mariés, trop amoureux ou trop raisonnables aujourd'hui pour en avoir besoin, du moins sur les enfants et les adolescents. Le païen effraie et dégoûte tellement les jeunes filles, en courant après elles et en feignant de vouloir les embrasser, qu'elles fuient avec une émotion qui n'a rien de joué. Sa face barbouillée et son grand bâton (inoffensif pourtant) font jeter les hauts cris aux marmots. C'est de la comédie de mœurs à l'état le plus élémentaire, mais aussi le plus frappant.

Quand cette farce est bien mise en train, on se dispose à aller chercher le chou. On apporte une civière sur laquelle on place le païen armé d'une bêche, d'une corde et d'une grande corbeille. Quatre hommes vigoureux l'enlèvent sur leurs épaules. Sa femme le suit à pied, les *anciens* viennent en groupe après lui d'un air grave et pensif puis la noce marche par couple au pas réglé par la musique. Les coups de pistolet recommencent, les chiens hurlent plus que jamais à la vue du païen immonde, ainsi porté en triomphe. Les enfants l'encensent dérisoirement avec des sabots au bout d'une ficelle.

Mais pourquoi cette ovation à un personnage si repoussant? On marche à la conquête du chou sacré, emblème de la fécondité matrimoniale, et c'est cet ivrogne abruti qui, seul, peut porter la main sur la plante symbolique. Sans doute il y a là un mystère antérieur au christianisme, ce qui rappelle la fête des Saturnales, ou quelque bacchanale antique. Peut-être ce païen, qui est en même temps le jardinier par excellence, n'est-il rien moins que Priape en personne, le dieu des jardins et de la débauche,

divinité qui dut être pourtant chaste et sérieuse dans
son origine, comme le mystère de la reproduction,
mais que la licence des mœurs et l'égarement des
idées ont dégradée insensiblement.

Quoi qu'il en soit, la marche triomphale arrive
au logis de la mariée et s'introduit dans son jardin.
Là on choisit le plus beau chou, ce qui ne se fait pas
vite, car les anciens tiennent conseil et discutent à
perte de vue, chacun plaidant pour le chou qui lui
paraît le plus convenable. On va aux voix, et quand
le choix est fixé, le *jardinier* attache sa corde autour
de la tige, et s'éloigne autant que le permet l'étendue du jardin. La jardinière veille à ce que, dans sa
chute, le légume sacré ne soit point endommagé.
Les *Plaisants* de la noce, le chanvreur, le fossoyeur,
le charpentier ou le sabotier (tous ceux enfin qui ne
travaillent pas la terre, et qui, passant leur vie chez
les autres, sont réputés avoir, et ont réellement plus
d'esprit et de babil que les simples ouvriers agri-
culteurs), se rangent autour du chou. L'un ouvre
une tranchée à la bêche, si profonde qu'on dirait
qu'il s'agit d'abattre un chêne. L'autre met sur son
nez une *drogue*[1] en bois ou en carton qui simule
une paire de lunettes : il fait l'office d'*ingénieur*,
s'approche, s'éloigne, lève un plan, lorgne les travailleurs, tire des lignes, fait le pédant, s'écrie
qu'on va tout gâter, fait abandonner et reprendre le

1. La *drogue* était exactement un petit morceau de bois fendu qui
pinçait le nez.

travail selon sa fantaisie, et, le plus longuement, le plus ridiculement possible dirige la besogne. Ceci est-il une addition au formulaire antique de la cérémonie, en moquerie des théoriciens en général que le paysan coutumier méprise souverainement, ou en haine des arpenteurs qui règlent le cadastre et répartissent l'impôt, ou enfin des employés aux ponts et chaussées qui convertissent des communaux en routes, et font supprimer de vieux abus chers au paysan ? Tant il y a que ce personnage de la comédie s'appelle le *géomètre*, et qu'il fait son possible pour se rendre insupportable à ceux qui tiennent la pioche et la pelle.

Enfin, après un quart d'heure de difficultés et de mômeries, pour ne pas couper les racines du chou et le déplanter sans dommage, tandis que des pelletées de terre sont lancées au nez des assistants (tant pis pour qui ne se range pas assez vite ; fût-il évêque ou prince, il faut qu'il reçoive le baptême de la terre), le *païen* tire la corde, la païenne tend son tablier, et le chou tombe majestueusement aux *vivats* des spectateurs. Alors on apporte la corbeille, et le couple païen y plante le chou avec toutes sortes de soins et de précautions. On l'entoure de terre fraîche, on le soutient avec des baguettes et des liens, comme font les bouquetières des villes pour leurs splendides camellias en pot ; on pique des pommes rouges au bout des baguettes, des branches de thym, de sauge et de laurier tout autour ; on chamarre le tout de rubans et de banderoles ; on recharge le tro-

phée sur la civière avec le païen, qui doit le mainte-
nir en équilibre et le préserver d'accident, et enfin
on sort du jardin en bon ordre et au pas de marche.

Mais là quand il s'agit de franchir la porte, de
même lorsque ensuite il s'agit d'entrer dans la cour
de la maison du marié, un obstacle imaginaire s'oppose au passage. Les porteurs du fardeau trébu-
chent, poussent de grandes exclamations, reculent,
avancent encore, et, comme repoussés par une force
invincible, feignent de succomber sous le poids.
Pendant cela, les assistants crient, excitent et cal-
ment l'attelage humain. — Bellement, bellement,
enfant ! Là, là, courage ! Prenez garde ! patience !
Baissez-vous. La porte est trop basse ! Serrez-vous,
elle est trop étroite ! un peu à gauche ; à droite à
présent ! allons, du cœur, vous y êtes !

C'est ainsi que dans les années de récolte abon-
dante, le char à bœufs, chargé outre mesure de fourrage ou de moisson, se trouve trop large ou trop haut
pour entrer sous le porche de la grange. C'est ainsi
qu'on crie après les robustes animaux pour les retenir ou les exciter, c'est ainsi qu'avec de l'adresse et
de vigoureux efforts on fait passer la montagne des
richesses, sans l'écrouler, sous l'arc de triomphe
rustique. C'est surtout le dernier charroi, appelé la
gerbaude[1], qui demande ces précautions, car c'est
aussi une fête champêtre, et la dernière gerbe enle-
vée au dernier sillon est placée au sommet du char,

---

1. *Gerbaude* : dernier charroi de la moisson.

ornée de rubans et de fleurs, de même que le front des bœufs et l'aiguillon du bouvier. Ainsi, l'entrée triomphale et pénible du chou dans la maison est un simulacre de la prospérité et de la fécondité qu'il représente.

Arrivé dans la cour du marié, le chou est enlevé et porté au plus haut de la maison ou de la grange. S'il est une cheminée, un pignon, un pigeonnier plus élevé que les autres faîtes, il faut, à tout risque porter ce fardeau au point culminant de l'habitation. Le païen l'accompagne jusque-là, le fixe, et l'arrose d'un grand broc de vin, tandis qu'une salve de coups de pistolet et les contorsions joyeuses de la païenne signalent son inauguration.

La même cérémonie recommence immédiatement. On va déterrer un autre chou dans le jardin du marié pour le porter avec les mêmes formalités sur le toit que sa femme vient d'abandonner pour le suivre. Ces trophées restent là jusqu'à ce que le vent et la pluie détruisent les corbeilles et emportent le chou. Mais ils y vivent assez longtemps pour donner quelque chance de succès à la prédiction que font les anciens et les matrones en le saluant :
— Beau chou, disent-ils, vis et fleuris, afin que notre jeune mariée ait un beau petit enfant avant la fin de l'année ; car si tu mourais trop vite ce serait signe de stérilité, et tu serais là-haut sur sa maison comme un mauvais présage.

La journée est déjà avancée quand toutes ces choses sont accomplies. Il ne reste plus qu'à faire la

conduite aux parrains et marraines des conjoints.
Quand ces parents putatifs demeurent au loin, on les
accompagne avec la musique et toute la noce jusqu'aux limites de la paroisse. Là, on danse encore
sur le chemin et on les embrasse en se séparant
d'eux. Le païen et sa femme sont alors débar-
bouillés et rhabillés proprement, quand la fatigue de
leur rôle ne les a pas forcés à aller faire un somme.

On dansait, on chantait, et on mangeait encore à
la métairie de Belair, ce troisième jour de noce, à
minuit, lors du mariage de Germain. Les anciens,
attablés, ne pouvaient s'en aller, et pour cause. Ils
ne retrouvèrent leurs jambes et leurs esprits que le
lendemain au petit jour. Alors, tandis que ceux-là
regagnaient leurs demeures, silencieux et trébu-
chants, Germain, fier et dispos, sortit pour aller lier
ses bœufs, laissant sommeiller sa jeune compagne
jusqu'au lever du soleil. L'alouette, qui chantait en
montant vers les cieux, lui semblait être la voix de
son cœur rendant grâce à la Providence. Le givre,
qui brillait aux buissons décharnés, lui semblait la
blancheur des fleurs d'avril précédant l'apparition
des feuilles. Tout était riant et serein pour lui dans
la nature. Le petit Pierre avait tant ri et tant sauté la
veille, qu'il ne vint pas l'aider à conduire ses
bœufs ; mais Germain était content d'être seul. Il se
mit à genoux dans le sillon qu'il allait refendre, et
fit la prière du matin avec une effusion si grande
que deux larmes coulèrent sur ses joues encore
humides de sueur.

On entendait au loin les chants des jeunes garçons des paroisses voisines, qui partaient pour
retourner chez eux, et qui redisaient d'une voix un
peu enrouée les refrains joyeux de la veille.

DOSSIER

VIE DE GEORGE SAND

1804-1876

1777. Le financier Dupin de Francueil à l'âge de soixante-deux
ans épouse Marie-Aurore de Saxe, fille naturelle du
Maréchal de Saxe, âgée de vingt-neuf ans. De ce mariage
naît en 1778 Maurice Dupin, père de la romancière.

1793. Madame Dupin de Francueil acquiert la terre de Nohant.

1804. *5 juin* : Maurice Dupin régularise la liaison qu'il avait
depuis 1800 avec Antoinette-Sophie-Victoire Delaborde,
fille d'un oiselier parisien.

1er juillet : naissance à Paris d'Amandine-Aurore-Lucile
Dupin, la future George Sand.

1808. Maurice Dupin, militaire de carrière, est aide de camp de
Murat en Espagne. Comme Victor Hugo, la petite Aurore
part pour Madrid avec sa mère. Maurice Dupin, en
congé, revient à Nohant avec sa famille.

16 septembre : Maurice Dupin meurt d'une chute de cheval à la Châtre.

1808-1818. Aurore vit à Nohant. Le séjour est coupé de
quelques voyages à Paris. Relations tendues entre la
grand-mère et la mère. Celle-ci s'est installée à Paris en
1810, mais revient à Nohant chaque été. La petite
Aurore a pour précepteur l'homme de confiance de
Mme Dupin, ancien précepteur de son père, Deschartres.
Elle est élevée avec un enfant naturel de Maurice, de
cinq ans son aîné, Hippolyte Chatiron.

1817. Aurore, tardivement, fait sa première communion. Sa
grand-mère décide de la conduire à Paris pour parfaire

son éducation ; elle est mise en pension au couvent des Augustines anglaises (janvier 1818).

1819. Au couvent, Aurore traverse une crise mystique et veut se faire religieuse.

1820. Retour en Berry : Mme Dupin voudrait avant sa mort marier sa petite-fille.

1821. Aurore soigne sa grand-mère atteinte de paralysie et s'initie à la gestion du domaine.
26 décembre : mort de Mme Dupin de Francueil.

1822. René de Villeneuve est chargé de la tutelle, mais Aurore n'accepte pas de rompre avec sa mère, comme le voulait sa grand-mère paternelle. Elle va vivre à Paris avec sa mère et est en butte aux humeurs capricieuses de celle-ci.
19 avril : elle fait la connaissance de François-Casimir Dudevant, fils naturel d'un baron d'Empire, âgé de vingt-sept ans.
17 septembre : elle épouse à Paris Casimir Dudevant.
Octobre : départ pour Nohant des nouveaux mariés.

1823. *30 juin* : naissance à Paris de Maurice Dudevant (qui prendra le nom de Maurice Sand).

1824. Le mariage n'est pas heureux : les deux conjoints n'ont aucun goût commun.
Séjours au Plessis-Picard, à Ormesson, à Paris.

1825 *Juillet-août* : voyage aux Pyrénées. Aurore fait la connaissance d'Aurélien de Séze. Liaison platonique et passionnée qui se poursuivra jusqu'en 1830.
Septembre : séjour à Guillery chez le père de son mari.
Séjours à Bordeaux.

1826. *Avril* : retour à Nohant. La maladresse de son mari oblige Aurore à s'occuper activement de la gestion de ses biens.

1827. À Nohant, Aurore se crée un cercle d'amis auxquels elle sera fidèle, Duteil, Duvernet, Néraud le Malgache…
Août : voyage en Auvergne. Départ pour Paris. Aurore devient la maîtresse de Stéphane Ajasson de Grandsagne qu'elle fréquentait depuis 1821.

1828. *13 septembre* : naissance de Solange Dudevant (fille de Stéphane, selon l'opinion reçue).

1829. *Mai-juin* : séjours à Bordeaux, à Guillery.
Septembre : Jules Boucoiran est engagé comme précepteur de Maurice.
Elle commence d'écrire : *Le Voyage de M. Blaise* (publié en 1877).

1830. Séjours à Paris, à Bordeaux, retour à Nohant en juin.
30 juillet : elle fait la connaissance de Jules Sandeau.

1831. Devenue sa maîtresse, elle le rejoint à Paris, laissant à Nohant son mari et ses enfants. Elle a obtenu de Casimir une pension.
Elle trouve un protecteur en la personne du Berrichon Latouche, directeur du *Figaro*. Elle écrit en collaboration avec Sandeau une nouvelle, *La Prima-Donna*, et deux romans, *Le Commissionnaire*, *Rose et Blanche*. Ces œuvres sont signées, tantôt Signol, tantôt J. Sand, tantôt J. S.

1832. Elle revient à Nohant puis repart pour Paris en emmenant sa fille. Mais se passant de la collaboration de Sandeau, elle publie *Indiana*, sous le pseudonyme de G. Sand.
Novembre : publication de *Valentine* sous le pseudonyme de George Sand (George sans *s*). Désormais elle parlera d'elle-même au masculin.
Décembre : elle signe un traité avec Buloz pour une collaboration régulière à *La Revue des Deux Mondes*.

1833. *Janvier* : elle fait la connaissance de Marie Dorval.
Avril : tentative de liaison avec Mérimée.
Relations avec Planche et Sainte-Beuve.
Juillet : début de la liaison avec Musset. Publication de *Lélia*.
Août : séjour avec Musset dans la forêt de Fontainebleau.
12 décembre : départ pour l'Italie. Voyage de Lyon à Avignon sur le Rhône : rencontre de Stendhal. De Marseille à Gênes. Passage à Livourne, Pise et Florence. Arrivée à Venise le 31 décembre.

1834. Les amants de Venise à l'*Albergo reale Danieli*. Tour à tour, George et Alfred tombent malades. Alfred est soigné par le docteur Pagello ; George s'éprend du médecin.
29 mars : départ de Musset pour la France.

À Venise, activité littéraire intense, George écrit *Leone Leoni*, *André*, *Jacques*, *Mattea*, les premières *Lettres d'un voyageur*.

24 juillet : départ de George avec Pagello. Par Milan, Chamonix, ils se rendent à Paris où ils arrivent le 14 août. Séjour à Nohant sans Pagello, retour à Paris en octobre.

Octobre : Pagello repart pour l'Italie et George redevient la maîtresse de Musset.

De décembre à janvier : séjour à Nohant sans Musset.

1835. *6 mars* : fin de la liaison avec Musset, départ pour Nohant.

Avril : elle devient la maîtresse de l'avocat Michel de Bourges.

30 octobre : procédure en séparation contre son mari.

1836. *Avril* : elle devient la maîtresse de Charles Didier, menant de front les deux liaisons. Michel la pousse dans la politique.

Amitié avec Carlotta Mariani, femme du consul d'Espagne.

11 mai : séparation judiciaire des époux Dudevant confirmée en juillet.

Juillet : publication de *Simon*.

Août : voyage en Suisse en compagnie de Liszt et Marie d'Agoult ; retour à Paris.

1837. *Janvier* : départ pour Nohant.

Février-mai : publication dans *Le Monde*, journal de Lamennais, des *Lettres à Marcie*.

Avril : publication des *Lettres d'un voyageur*.

Séjours de Liszt et Marie d'Agoult à Nohant.

Fin de la liaison avec Didier et Michel. Elle devient la maîtresse de l'acteur Bocage puis de Mallefille, précepteur de Maurice.

Août : publication de *Mauprat*.

19 août : mort de Sophie-Victoire, mère de George Sand.

Octobre : en quête d'un directeur spirituel après Lamennais, elle découvre son « sauveur » en Pierre Leroux, qui exerce sur elle une influence religieuse, politique et sociale.

1838. *Février-mars* : séjour de Balzac à Nohant.

Publication de *La Dernière Aldini* et des *Maîtres mosaïstes*.

Juin : début de la liaison avec Chopin.

D'octobre à février 1839 : voyage en Espagne avec Chopin. De Port-Vendres à Barcelone, de Barcelone à Majorque.

15 décembre : installation dans la chartreuse de Valldemosa.

1839. Maladie de Chopin et départ pour Marseille en février Séjour à Marseille et retour à Nohant le 1ᵉʳ juin.

Février : publication de *Spiridion* et de *L'Uscoque*.

Septembre : publication de la nouvelle version de *Lélia*.

Octobre : installation à Paris rue Pigalle.

1840. *Janvier* : publication de *Gabriel* et des *Sept Cordes de la lyre*.

Elle va désormais chercher le succès au théâtre.

29 avril : échec de *Cosima* au Théâtre-Français.

Mai : elle fait la connaissance d'Agricol Perdiguier qui lui inspire *Le Compagnon du tour de France*. Buloz ayant refusé de publier ce roman, elle rompt avec *La Revue des Deux Mondes*.

Amitié pour Pauline Viardot, cantatrice, sœur de la Malibran. Elle l'accompagne en tournée à Cambrai.

1841. *Juin-octobre* : George Sand et Chopin à Nohant.

Juillet : procès avec Buloz.

1ᵉʳ novembre : début de *La Revue indépendante* fondée par G. Sand avec Leroux et Viardot, mari de Pauline. Elle va y publier régulièrement ses œuvres.

Publication d'*Horace* dans *La Revue indépendante*.

1842. *Janvier* : publication d'*Un hiver à Majorque*.

Dans *La Revue indépendante* : *Dialogue familier sur la poésie des prolétaires*, et publication de la grande somme romanesque qui est à la fois un hommage à Pauline, à Mickiewicz et à Leroux, *Consuelo*.

À Nohant, Chopin et Delacroix se lient d'amitié.

Installation au square d'Orléans de George Sand, de Chopin et de Mme Marliani. *La Revue indépendante* se trouvant dans une situation précaire est cédée à une société.

1843. Publication de *La Comtesse de Rudolstadt*, suite de *Consuelo*.

Les beaux jours de Nohant avec Chopin, Delacroix et les Viardot : fêtes et excursions. C'est alors qu'est célébré le mariage de Françoise Meillant, cf. *La Mare au Diable* : appendice, chap. III.

Juillet-août : enquête sur l'affaire Fanchette à la Châtre.

1844. *Avril* : publication de *Jeanne* dans *Le Constitutionnel*. G. Sand avance des sommes à Leroux qui veut fonder à Boussac une imprimerie.

Septembre : début de *L'Éclaireur de l'Indre*, journal d'inspiration républicaine fondé par G. Sand et ses amis berrichons.

1845. *Janvier-mars* : publication du *Meunier d'Angibault* dans *La Réforme*.

Août-septembre : publication de *Tévérino* dans *La Presse*.

Octobre-novembre : publication du *Péché de M. Antoine* dans *L'Époque*.

1ᵉʳ octobre : elle achève *La Mare au Diable*, écrite en quatre jours.

Octobre : début de *La Revue sociale*, revue mensuelle dirigée par Leroux.

7 décembre : *La Revue sociale* publie le prologue de *La Mare au Diable*.

G. Sand rentre à Paris après un séjour au château de Chenonceaux chez ses cousins Villeneuve.

1846. *6-15 février* : publication de *La Mare au Diable* dans *Le Courrier français*.

31 mars-2 avril : publication de *La Noce de campagne*, appendice de *La Mare au Diable* dans *Le Courrier français*.

Mai : publication en volume de *La Mare au Diable* dédiée à Chopin.

Juin-août : publication de *Lucrezia Floriani* dans *Le Courrier français*.

Projets de mariage pour Solange : F. de Preaulx.

Novembre-décembre : publication de *La Vallée noire* dans *L'Éclaireur*.

11 novembre : Chopin regagne Paris seul.

8 décembre : à Nohant, début des spectacles de Commedia dell'Arte.

9 décembre : G. Sand intente un procès aux journaux qui ont reproduit sans autorisation *La Mare au Diable*.

1847. *15 avril* : elle commence l'*Histoire de ma vie*.

19 mai : mariage de Solange avec le sculpteur Clésinger.

27 juillet : le mariage de Solange provoque la rupture avec Chopin.

Automne : début des spectacles de marionnettes à Nohant.

31 décembre : début de *François le Champi* dans *Le Journal des débats*.

1848. *Révolution de Février* : G. Sand accourt à Paris. Liée avec Ledru-Rollin, elle multiplie les lettres ouvertes : à la classe moyenne, au peuple, aux riches, fonde un journal, *La Cause du peuple*, qui n'aura que 3 numéros, collabore au *Bulletin de la République*. Elle se mêle à la vie politique et lutte contre les éléments modérés.

De mai à juin : elle collabore à *La Vraie République*, mais, depuis le 17 mai, elle a quitté Paris, déçue et compromise. Elle restera à Nohant jusqu'à décembre 1849

1ᵉʳ décembre : publication de *La Petite Fadette* dans le *Crédit*.

1849. Elle lance un journal démocratique, *Le Travailleur de l'Indre*.

Juillet : reprise de la rédaction de ses mémoires abandonnés en 1848.

17 octobre : mort de Chopin.

25 novembre : première représentation de *François le Champi* à l'Odéon.

1850. Début de la liaison avec le graveur Alexandre Manceau, ami de Maurice, la plus longue et la plus discrète de ses liaisons.

1851. *Janvier* : grand succès de *Claudie* à la Porte Saint-Martin (entre autres interprètes, Marie Daubrun, l'inspiratrice de Baudelaire).

9 février : inauguration du théâtre de Nohant.

Novembre : publication du *Château des Désertes*.

Novembre : grand succès du *Mariage de Victorine* au Gymnase.

Après le coup d'État du 2 décembre, elle quitte Paris pour engager ses amis berrichons à reconnaître le nouveau pouvoir.

1852. Elle est reçue à deux reprises par le prince-président à qui elle conseille une amnistie générale. Cet opportunisme déconcerte ses amis.

Mars : échec des *Vacances de Pandolphe* au Gymnase.

Elle s'attache à Jeanne, la fille de Solange.

Septembre : *Le Démon du foyer* au Gymnase.

1853. *Février* : publication du *Mont-Revêche*.

Juillet : publication des *Maîtres sonneurs*.

Novembre : succès de *Mauprat* à l'Odéon.

1854. *5 octobre* : début de la publication d'*Histoire de ma vie* dans *La Presse*.

1855. *13 janvier* : mort de Jeanne ; correspondance avec V. Hugo qui lui avait témoigné de la sympathie.

Février-mai : nouveau voyage en Italie avec Manceau et Maurice.

Septembre : succès de *Maître Favilla* à l'Odéon.

1856. *Février-avril* : intense activité théâtrale, mais sans grand succès : *Lucie* au Gymnase, *Françoise* au Gymnase, *Comme il vous plaira* au Théâtre-Français.

1857. *Mai* : publication de *La Daniella* dans *La Presse*.

Juin-juillet : excursion sur les bords de la Creuse.

Manceau achète une maison à Gargilesse, où G. Sand séjourne régulièrement.

Octobre : publication du *Diable aux champs*.

1858. Publication des *Beaux Messieurs de Bois-Doré* dans *La Presse*.

Réconciliée avec Buloz et *La Revue des Deux Mondes* ; elle lui donne de juin à septembre *L'Homme de neige*.

1859. Puis de janvier à mars : *Elle et Lui*, romans écrits à Gargilesse.

Elle et Lui évoquant les rapports de Sand et de Musset, Paul, frère d'Alfred, réplique en avril en publiant *Lui et Elle*.

Mai-juin : voyage en Auvergne avec Manceau.
Relations avec Fromentin et Sainte-Beuve.

1860. *Juillet-septembre* : publication du *Marquis de Villemer* dans *La Revue des Deux Mondes*.
Octobre-novembre-décembre : grave maladie de G. Sand.

1861. *Février-juin* : convalescence à Tamaris avec Manceau. Retour à Nohant par la Savoie et le Dauphiné.
Mars-juin : publication de *Valvèdre* dans *La Revue des Deux Mondes*.
Mai : refus d'une subvention exceptionnelle offerte par l'empereur.
Relations avec Dumas fils.

1862. *Février-mars* : publication de *Tamaris* dans *La Revue des Deux Mondes*.
17 mai : mariage de Maurice Sand avec Lina Calamatta.
Juin : Fromentin à Nohant.

1863. *28 janvier* : début de la correspondance avec Flaubert. Publication de *Mademoiselle La Quintinie* dans *La Revue des Deux Mondes*. Ce roman anticlérical fait scandale : cf. la réaction de Baudelaire.
14 juillet : naissance de Marc Antoine, fils de Maurice. Rapports difficiles entre Maurice et Manceau.

1864. *Février* : succès triomphal de *Villemer* à l'Odéon.
Juin : G. Sand et Manceau s'installent à Palaiseau.
21 juillet : mort de Marc-Antoine, fils de Maurice (il avait reçu le baptême protestant).
Août novembre : publication de la *Confession d'une jeune fille* dans *La Revue des Deux Mondes*.
Septembre : séjour à Gargilesse avec le jeune peintre Marchal qui devient son amant.

1865. *Juin-août* : publication de *Monsieur Sylvestre* dans *La Revue des Deux Mondes*.
21 août : mort de Manceau âgé de quarante-huit ans. Publication de *Laura*.
De Nohant à Paris ; G. Sand aux dîners Magny.

1866. *10 janvier* : naissance d'Aurore, fille de Maurice.
Juillet-août : publication de *Dernier Amour* dans *La*

Revue des Deux Mondes. G. Sand séjourne deux fois à Croisset chez Flaubert en août et novembre.
Maladie de G. Sand.

1867. Elle séjourne de plus en plus à Nohant.
Septembre-novembre : publication de *Cadio* dans *La Revue des Deux Mondes*.
Septembre : voyages en Normandie.

1868. *Janvier-mars* : séjour à Golfe Juan.
Mars : naissance de Gabrielle, fille de Maurice.
Mai : séjour à Croisset chez Flaubert.
Retour à Nohant : comme vingt-cinq ans auparavant se multiplient les visites, les excursions et les spectacles, mais les visages ont changé : Juliette Adam.

1869. *Juin-septembre* : publication de *Pierre qui roule* dans *La Revue des Deux Mondes*.
Septembre-octobre : voyages en Champagne et dans les Ardennes.
Décembre : séjour de Flaubert à Nohant.

1870. *Février-mars* : publication de *Malgré tout* dans *La Revue des Deux Mondes*. Succès médiocre de *L'Autre* à l'Odéon.

1871. *8 mars* : mort de Casimir Dudevant.
Le *Journal d'un voyageur pendant la guerre*.
Juillet : elle ne renouvelle pas le traité qui la liait à *La Revue des Deux Mondes*. Elle collabore désormais au *Temps* : un feuilleton de variétés chaque quinzaine.

1872. *Mars-avril* : publication de *Nanon* dans *Le Temps*.
Juillet-août : séjour à Cabourg, retour par la Normandie.
Septembre : à Nohant, invitations et divertissements.

1873. *Jusqu'en avril* : continuation de la vie de fête.
Avril : Flaubert et Tourgueniev séjournent à Nohant.
Août : voyage en Auvergne, ascension du Sancy.

1874. *Janvier-mars* : publication de *Ma sœur Jeanne* dans *La Revue des Deux Mondes*.
Mai-juin : séjour à Paris.
Pendant l'été et l'automne : altération de sa santé.

1875. *Février-mai* : publication de *Flamarande* dans *La Revue des Deux Mondes*.

Décembre-janvier : publication de *La Tour de Perce-mont* dans *La Revue des Deux Mondes*.

1876. *Fin mai* : occlusion intestinale ; l'opération n'est pas possible.

8 juin : mort de G. Sand à l'âge de soixante-douze ans.

10 juin : obsèques religieuses à la demande de Solange. Elle est inhumée à Nohant.

NOTICE

I. PUBLICATION DE
LA MARE AU DIABLE

Manuscrit. — G. Sand non seulement dédia *La Mare au Diable* à Chopin, mais encore lui fit don du manuscrit. Celui-ci devint au cours des ans la propriété d'A. Zaleski, ministre des Affaires étrangères de Pologne, lequel en 1931 l'offrit à Aristide Briand pour qu'il en disposât en faveur d'une bibliothèque française. Briand le remit à la Bibliothèque nationale.

Le manuscrit de *La Mare au Diable* (139 pages) est divisé en 8 chapitres : i. L'auteur au lecteur; ii. Germain, le fin laboureur; iii. Petit-Pierre; iv. Sous les grands chênes; v. Malgré le froid; vi. La lionne de village; vii. Le Maître; viii. La mère Maurice.

Les Noces de campagne ou plutôt *La Noce de campagne* (56 pages) est divisée en trois chapitres sans titre.

Bien que le roman ait été écrit très rapidement, comme on le verra, le manuscrit témoigne, par ses corrections, d'une rédaction soignée — ce qui n'est pas toujours le cas chez la romancière qui se servait de sa plume comme gagne-pain.

Publication. — G. Sand était son propre imprésario et savait fort bien se défendre. *La Mare au Diable* en fournit la preuve. La Société des gens de lettres ayant laissé deux journaux, l'*Écho des feuilletons* et *L'Écho agricole*, reproduire *La Mare au Diable*, G. Sand fit un procès à ces journaux. Déboutée à deux reprises, elle s'acharna et finit par avoir gain de cause en juillet 1849.

Elle s'employa donc à préparer la publication de son roman à la fois dans les journaux et en librairie.

Le 24 octobre 1845, elle écrivait à Anténor Joly : « Je vais commencer un autre roman, car je ne peux m'habituer au repos. Ce sera très court, d'après la donnée qui me passe par la tête. » Anténor Joly était le directeur du feuilleton du journal *L'Époque* où il venait d'accueillir en 1845 *Le Péché de Monsieur Antoine*.

Le 1ᵉʳ novembre 1845, une lettre au même apporte sur la rédaction du nouveau roman de précieux renseignements : « J'ai fini mon petit roman, je l'ai fait en quatre jours, et cela m'a remise en goût de travail. Cela fait six feuilletons dont on pourrait peut-être faire sept, puisque vous les aimez courts, en tout un très fort demi-volume, si vous en avez envie, vous me le direz. C'est une affaire de 2 000 f. qui ne ruinera pas *L'Époque*. Mais je voudrais que la publication n'en fût pas trop tardive, afin de pouvoir en disposer pour un éditeur. Les nouvelles servent à compléter des volumes. Je l'ai fait cent fois plus vite que je ne pensais [...] le titre est, sauf meilleur avis, *La Mare au Diable*. »

Ainsi *La Mare au Diable* a été écrite en quatre jours en octobre 1845. Cette année-là l'automne était pluvieux, et dans le récit il est fait allusion à de grandes pluies.

Malgré ses bonnes dispositions pour *L'Époque* et pour A. Joly, G. Sand changea d'avis lorsque *L'Époque*, en dépit des conventions écrites, offrit *Le Péché de Monsieur Antoine* en prime à ses abonnés. Elle destina alors sa nouvelle à un autre journal, *Le Courrier français*, où elle fut publiée du 6 au 15 février 1846.

Dans l'intervalle elle avait fait don à Leroux, qui venait de lancer *La Revue sociale*, du morceau qui sert de prologue au roman et que Leroux publia en décembre 1845 sous le titre *Préface d'un roman inédit. Fragment*. P. Salomon a montré dans un article de la *R.H.L.F.* (5-1948, p. 352-358) que Leroux s'était permis de couper et de corriger le texte, après avoir déclaré à la réception : « Ce que vous m'avez envoyé est très beau. » Les corrections portaient à la fois sur le fond et sur la forme. G. Sand ne s'en formalisa pas, mais elle n'en tint pas compte et conserva par la suite sa propre version.

Elle offrit également à *L'Artiste* le même morceau qui fut publié le 8 février 1846.

En même temps, elle traite avec Giroux et Vialat imprimeurs pour l'impression du roman. Le 16 février, elle accuse réception de deux mille cinq cents francs pour le roman intitulé *La Mare au Diable* et le 18, renvoie aux imprimeurs leur exemplaire du traité après l'avoir signé.

Cependant, le 24 mars, elle écrit à ses éditeurs : « J'ai terminé l'appendice de *La Mare au Diable*, 55 pages qui font 4 chapitres. Vous avez donc bonne mesure. » La dernière phrase laisse supposer que les éditeurs lui avaient demandé d'étoffer sa nouvelle. Dans la même lettre, elle demande de son côté l'autorisation de publier l'appendice en feuilleton. Elle écrivit donc au rédacteur du *Courrier français* : « *La Mare au Diable* vous a été entièrement racontée ; un si mince sujet ne demandait pas de plus amples développements. Mais, ainsi que je vous l'avais annoncé, j'ai cédé à la fantaisie de décrire les bizarres cérémonies du mariage chez les paysans de mon endroit ; et puisque vous avez eu la bonté de désirer les connaître, je vous envoie cet exposé fidèle d'une noble partie de nos anciennes coutumes rustiques, d'origine gauloise. L'intérêt qui peut ressortir de ces curieuses coutumes fait le seul mérite de ce petit travail que j'ai l'honneur de vous communiquer. »

L'appendice fut publié par *Le Courrier français* du 31 mars au 2 avril. Enfin, le 21 mai, *Le Journal des débats* annonce la mise en vente de *La Mare au Diable*. Le roman publié chez Desessart comprend deux volumes in-8°. Le tome II avait été complété par deux articles politiques parus dans *L'Éclaireur de l'Indre* : *La Politique et le Socialisme, Réponse à diverses objections*. C'est seulement le 8 août que la *Bibliographie de la France* annonça la publication du roman.

Dans *Le Courrier français*, le roman comptait huit chapitres comme dans le manuscrit. L'édition en volume de 1846 présente diverses modifications : le roman compte dix-sept chapitres : les sept premiers ont été dédoublés, le huitième divisé en trois. L'appendice constitue les chapitres XVIII, XIX, XX, XXI. Le roman est dédié : *à mon ami Frédérick Chopin*.

Les éditions suivantes (Calmann-Lévy) apportèrent de nouvelles modifications. L'appendice s'intitule : *Les noces de campagne* et non *La noce de campagne*. Les quatre chapitres qui le forment sont numérotés à part. La dédicace à Chopin a disparu.

En 1852, fut publiée une édition populaire des romans, illustrée — par Tony Johannot et Maurice Sand — afin de « faire lire à la classe pauvre ou malaisée des ouvrages dont une grande partie a été composée pour elle ». Pour chaque roman G. Sand rédigea une notice.

Le succès de l'œuvre avait été immédiat. G. Sand fut désormais l'auteur de *La Mare au Diable*. Chopin raconte dans une lettre de novembre 1846 que M. Aubertin, professeur à Louis-le-Grand, « a eu l'audace de lire [le roman] en plein collège comme exemple de style ». Delacroix, dès le début d'août, avait écrit à G. Sand : « Voilà ce que je voulais vous dire et il y a longtemps que j'aurais dû le faire, c'est de vous accabler de mon admiration pour Germain le fin laboureur et l'adorable Marie. Voilà un de vos chefs-d'œuvre chère amie et des plus raffinés : beau et simple. Que c'est beau. Je serais intarissable là-dessus si je m'y mets une fois. Vous avez eu une bonne idée de le dédier à Chopin. » En 1850, Sainte-Beuve lui consacra un « Lundi » : « *La Mare au Diable* est tout simplement un petit chef-d'œuvre. »

II. LA BRANDE

Voici dans l'*Histoire de ma vie*, III, 3, la description de la Brande et le récit de l'aventure arrivée à la petite Aurore quand elle avait sept ans. Ce souvenir d'enfance joue un rôle capital dans la genèse du roman.

Entre Châteauroux et Nohant recommence une espèce de Sologne qui se prolonge jusqu'à l'entrée de la vallée Noire. C'est beaucoup moins pauvre et moins laid que la Sologne, surtout aujourd'hui que presque tous les abords de la route sont cultivés. D'ailleurs le terrain a quelque mouvement, et derrière les grandes nappes de bruyère on retrouve presque partout les horizons bleus des terres fertiles au centre desquelles s'étend ce petit désert. Le voisinage de ces terres combat l'insalubrité des landes, et si la végétation et le bétail y sont plus pâles et plus maigres que dans notre vallée, du moins ne sont-ils pas mourants comme dans les pays stériles d'une grande étendue. Ce désert, car il est à peine semé de quelques fermes et de quelques chaumières aujourd'hui, et à l'époque de mon récit il n'en comptait pas une seule, est appelé dans le pays la Brande. *Vers l'extrémité qui regarde Châteauroux est une grande bourgade qu'on appelle* Ardentes. *Est-ce à cause des forges qui existaient déjà du temps des Romains? et les landes environnantes étaient-elles alors couvertes de forêts qu'on aurait peu à peu brûlées pour la consommation de ces forges? Ces deux noms le feraient croire. À moins encore qu'un vaste incendie n'ait dévoré jadis et les bois et la bourgade.*

Quoi qu'il en soit, la Brande était encore, au temps dont je parle, un cloaque impraticable et un sol complètement abandonné. Il n'y avait point de route tracée, ou plutôt il y en avait cent, chaque charrette ou patache essayant de se frayer une voie plus sûre et plus facile que les autres dans la saison des pluies. Il y en avait bien une qui s'appelait la route; mais, outre que c'était la plus gâtée, elle n'était pas facile à suivre au milieu de toutes celles qui la croisaient. On s'y perdait continuellement, et c'est ce qui nous arriva.

Arrivés à Châteauroux, où cessait à cette époque toute espèce de diligences, nous déjeunâmes chez M. Duboisdouin, un vieux et excellent ami de ma grand-mère, [...] le jour tombait lorsque nous montâmes dans une patache de louage, conduite par un gamin de douze ou treize ans, et traînée par une pauvre haridelle très efflanquée.

Je crois bien que notre automédon n'avait jamais traversé la Brande, car lorsqu'il se trouva à la nuit close dans ce labyrinthe de chemins tourmentés, de flaques d'eau et de fougères immenses, le désespoir le prit, et, abandonnant son cheval à son propre instinct, il nous promena au hasard pendant cinq heures dans le désert.

Je disais tout à l'heure qu'il n'y avait alors aucune habitation dans la Brande. Je me trompais, il y en avait une, et c'était le point de concours qu'il s'agissait de trouver dans la pers-

pective, pour se diriger ensuite sur la vallée Noire avec quelque chance de succès. On appelait cette maisonnette la maison du Jardinier, parce qu'elle était occupée par un ancien jardinier du Magnier, romantique château situé à une lieue de là, à la lisière de la Brande et de la vallée Noire, mais dans une autre direction que celle de Nohant

Or la nuit était sombre, et nous avions beau chercher cette introuvable maison du Jardinier, nous n'en approchions pas, ma mère avait une peur affreuse que nous ne fussions tombés dans la direction et dans le voisinage des bois de Saint-Aoust, qu'elle redoutait fort, parce que, dans sa pensée, l'idée des voleurs était infailliblement associée à celle des bois, n'eussent-ils eu qu'un arpent d'étendue.

Le danger n'était pas là. Outre qu'il n'y a jamais eu de brigands dans notre pays, le peu de voyageurs qui fréquentaient alors les chemins perdus de la Brande ne leur aurait pas promis une riche existence. Le véritable danger était de verser et de rester dans quelque trou. Heureusement celui que nous rencontrâmes vers le minuit était à sec ; il était profond, et nous échouâmes dans le sable si complètement, que rien ne put décider le cheval à nous en tirer. Il fallut y renoncer ; alors le gamin dételant sa bête, montant dessus et jouant des talons, nous souhaita une bonne nuit, et, sans s'inquiéter davantage des remontrances de ma mère et des menaces énergiques de Rose, disparut et se perdit dans la nuit ténébreuse.

Nous voilà donc en pleine lande à la belle étoile, ma mère consternée, Rose jurant après le gamin, et moi pleurant à cause de l'inquiétude et de la contrariété que ma mère éprouvait, ce qui mettait mon âme en détresse.

J'avais peur aussi, et ce n'était ni de la nuit, ni des voleurs, ni de la solitude. J'étais épouvantée par le chant des grenouilles qui habitent encore aujourd'hui par myriades les marécages de ces landes. En de certaines nuits de printemps et d'automne, elles poussent de concert une telle clameur sur toute l'étendue de ce désert, que l'on ne s'entend point parler, et que cela ajoute à la difficulté de s'appeler et de se retrouver, si, en s'égarant, on se sépare de ses compagnons de route. Cet immense coassement me portait sur les nerfs et remplissait mon imagina-

tion d'alarmes inexplicables. En vain Rose se moquait de moi et
m'expliquait que c'était un chant de grenouilles, je n'en croyais
rien ; je rêvais d'esprits malfaisants, de fadets et de gnomes irrités contre nous, qui troublions la solitude de leur empire.

Enfin Rose ayant jeté des pierres dans toutes les eaux et dans
toutes les herbes environnantes pour faire taire ces sympho-
nistes inexorables, réussit à causer avec ma mère et à la tran-
quilliser sur les suites de notre aventure. On me coucha au fond
de la patache, où je ne tardai pas à m'endormir ; ma mère n'essaya pas d'en faire autant, mais elle devisait assez gaiement
avec Rose, lorsque, vers les deux heures du matin, je fus
éveillée par une alerte. Un globe de feu paraissait à l'horizon.
D'abord Rose prétendit que c'était la lune qui se levait, mais
ma mère pensait que c'était un météore et croyait voi qu'il se
dirigeait rapidement sur nous.

Au bout de quelques instants on reconnut que c'était une
sorte de fanal qui venait effectivement de notre côté, non sans
faire beaucoup de zigzags et témoigner de l'incertitude d'une
recherche. Enfin on distingua des bruits de voix et le pas des
chevaux. Ma mère voulut encore se persuader que c'étaient des
voleurs et que nous devions fuir et nous cacher dans les broussailles pendant qu'ils pilleraient la patache ; mais Rose lui
démontra que c'était au contraire des gens charitables qui
venaient à notre secours, et elle courut au-devant d'eux pour
s'en assurer.

En effet, c'était le bon jardinier de la Brande qui, comme un
pilote habitué à de fréquents sauvetages, arrivait avec ses fils,
ses chevaux, et la chandelle de résine entourée d'un grand
papier huilé et lié au bout d'une perche, sorte de phare qui
avertissait de loin les naufragés de la Brande.

III. GEORGE SAND ETHNOGRAPHE

« Cette fin de *La Mare au Diable*, dans la description des
noces, semble peut-être un peu longue » notait Sainte-Beuve.
Aujourd'hui, le lecteur, même le lecteur jeune, pourrait plutôt

trouver l'idylle excessivement fade, alors que l'appendice a plus de chance de plaire en raison de sa saveur étrange : le comportement des paysans apparaissant aussi primitif que celui des Dogons. D'où le problème : quelle est la part de l'affabulation dans cette évocation des traditions rustiques ? Notre introduction mettant l'accent sur le rêve, le problème se pose de façon aiguë, et l'on sait que dans *Les Maîtres sonneurs*, la chanson des *Trois fendeurs* est, de l'avis des spécialistes, un pastiche très habile. La réponse est formelle : la description est rigoureusement fidèle. Sur le modèle du titre hugolien, on pourrait intituler ces pages « Choses vues ».

À quoi bon embellir les faits ? Un écrivain rêveur n'est jamais si heureux que lorsque la réalité se présente avec l'apparence du rêve. J'avais noté, à propos de *La Comtesse de Rudolstadt*, combien George Sand était sensible au caractère onirique des « tuileurs » maçonniques ; il en est de même avec les rites paysans.

D'autre part, comme beaucoup de ses contemporains, elle s'est passionnée pour le folklore (c'est en 1846, l'année de *La Mare au Diable*, que le mot fut employé pour la première fois) : langage, chansons et danses, costumes, techniques, us et coutumes des paysans en général, des paysans de la Vallée noire en particulier.

Si elle fait allusion au *bazvalan*, le messager d'amour breton, c'est qu'elle a lu attentivement l'étude de La Villemarqué sur *Les Chants populaires de la Bretagne*, ou celle plus ou moins romancée de Bouët sur la *Vie des Bretons en Armorique*. Lorsque le comte Jaubert publie en 1842 son *Vocabulaire du Berry et de quelques cantons voisins*, elle le remercie avec effusion (cf. *Correspondance*, éd. Lubin, t. V, p. 678-681) et lui offre de lui envoyer une centaine de mots supplémentaires. À son usage personnel elle dresse un répertoire, publié en 1954 par Monique Parent.

Dans la lettre à Jaubert elle affirme : « Nous parlons ici le berrichon pur et le français le plus primitif. » Elle le redit en 1846 dans son article de *L'Éclaireur* : « C'est dans la Vallée-Noire qu'on parle le vrai, le pur berrichon, qui est le vrai français de Rabelais. » Dans *Les Noces de campagne* elle complète l'idée en assurant : « Le Berry est resté stationnaire et je crois qu'après la Bretagne et quelques provinces de l'extrême midi de la France, c'est le pays le plus *conservé* qui se puisse trouver à l'heure qu'il est. » En 1844 avaient paru les trois premiers volumes de l'*Histoire du Berry* de Raynal qui lui ont appris qu'on retrouvait dans le Berry des traces de la civilisation gauloise.

Au « briolage » du prologue font pendant dans l'appendice cinq chansons populaires, dont le chant des livrées. L. Vincent, après enquête sur place, a pu obtenir des versions complètes de ces chansons. Mieux encore, J. Tiersot a reçu de Pauline Viardot les versions qu'elle avait notées elle-même quand elle séjournait à Nohant.

Si George Sand revêtait volontiers le costume masculin (à son exemple la femme peintre Rosa Bonheur fit de même pour dessiner sur le vif dans les foires aux bestiaux), elle ne s'intéressait pas moins aux costumes et aux coiffures des berrichonnes. La romancière, qui décrit de façon si minutieuse la toilette de noce de Marie, se montrera très exigeante, quand il s'agira de montrer au théâtre des scènes paysannes (voir par exemple dans la *Correspondance*, t. IX, p. 338, à l'adresse de Bocage chargé de la mise en scène de *François le Champi*, des « observations générales sur les coiffures de femmes »).

Quant aux us et coutumes, si étonnants, du mariage en Berry, les enquêtes minutieuses de L. Vincent ont confirmé leur parfaite authenticité. Selon l'habitude chère aux érudits, on a cherché des modèles à Germain, à Marie, et, comme il se doit, on en a trouvé. Sur la foi de G. Cayrou, P. Salomon et J. Mallion affirment que « [George Sand] aurait pris pour modèles un paysan du nom de Germain Renard, lequel entra ensuite à son service, et la jeune fille qu'il épousa, Marie Jouhanneau ». L. Vincent de son côté garantit — et la chose est plus intéressante — l'authenticité du père Bontemps, le fossoyeur. Dès 1832, à propos de la noce paysanne du chapitre XXI de *Valentine*, la romancière notait : « Je n'avais pas besoin d'observation à ce sujet. » Comprenons, non pas qu'elle voulait se passer de modèle, mais qu'elle pouvait s'en passer, tant la chose lui était familière. Elle était souvent invitée, et la *Correspondance* fait un sort à quelques-unes de ces invitations. Le mariage de Duvernet, évoqué au tome II, page 150, celui de Léontine Chatiron, au tome VI, page 42, laisseraient supposer que pour l'amour du folklore George Sand atténue la grossièreté des invités. « Si tu veux m'en croire, écrit-elle à son demi-frère, tu persisteras à marier tranquillement ta fille, sans noce et sans tapage. Il n'y a pas de plus triste rôle que celui d'une pauvre enfant toute pudique au milieu de la gaîté graveleuse de nos berrichons. » Mais G. Lubin a fort bien vu que dans l'un et l'autre cas il ne s'agit pas de noces paysannes. Les modèles pour celles de Germain et de Marie se trouvent ailleurs et précisément, puisque la romancière indique elle-même sa source, dans la noce de Françoise Meillant qui en 1843 se remaria avec Jean Aucante. On lit dans une lettre de George Sand à Delacroix ces lignes capitales : « Françoise est mariée depuis trois jours. Sa noce a duré 3 jours et 3 nuits, avec toutes les cérémonies du vieil usage fort enjouées et fort curieuses. Je vous ai beaucoup regretté. Il y avait là pour vous mille sujets pittoresques, et de ces tableaux naïfs qu'on n'imagine pas. » Enfin le 9 novembre 1845, au moment où elle vient d'achever en quatre jours *La Mare au Diable*, et où elle s'apprête à écrire l'appendice sur *Les Noces de campagne*, elle « fait les frais » de la noce de sa domestique Solange Biaud qui épouse le sabotier François Joyeux. Elle raconte la chose à Hetzel. « Soixante paysans riant, dansant au son de leurs *pibrochs* comme des Écossais, chantant à tue-tête, et tirant des coups de pistolet dans toutes les portes, ce n'est pas un petit vacarme ; mais il faudrait pourtant que vous vissiez cela, pour vous faire une idée de l'âge d'or. » Car elle oppose à l'attitude du bourgeois « qui s'enivre salement, qui cherche querelle et qui dit des obscénités », « cette politesse innée qui part d'un fonds de bienveillance inépuisable, et qui contraste avec une rudesse de sauvage, cette douceur de mœurs triomphant de la gaîté folle et même de l'ivresse ». (*Correspondance*, t. VI, p. 234 et t. VII, p. 165.)

Bref, George Sand a vu de ses yeux tous ces rites, si bizarres qu'ils soient : la joute du chanvreur et du fossoyeur, la lutte entre les deux clans, l'assaut donné à la maison de la fiancée, l'épreuve du fiancé identifiant sa promise parmi les filles cachées sous un drap, l'entrée en scène du *peilloux*, la procession burlesque, le transfert du chou au haut du toit... L'enquête diligente menée par L. Vincent est totalement positive; elle a retrouvé trace même des rites qui, au dire de George Sand, étaient tombés en désuétude. «Il n'est pas un vieillard de soixante ou soixante-dix ans qui, autour de Nohant, n'ait été acteur dans ces scènes burlesques.»

Un voisin de la Dame de Nohant, Laisnel de la Salle, consacra sa vie à observer les mœurs et les coutumes des paysans de l'Indre. En 1875, George Sand préfaça son ouvrage posthume (Laisnel était mort en 1870): *Le Berry, croyances et légendes* — *Le Berry, mœurs et coutumes.* «Je savais, écrit-elle, qu'il s'occupait de recherches ardues et minutieuses. Il en avait publié quelques fragments dans un journal de la localité» (non pas *L'Éclaireur de l'Indre*, comme l'indiquent de façon erronée L. Vincent et d'autres après elle, mais *Le Moniteur de l'Indre*). Laisnel de la Salle ne se contentait pas d'observer les us et coutumes ou de récolter les légendes. «Il a, continue George Sand, jeté une vive lumière sur les croyances, au premier abord folles et bizarres du paysan du Berry. Il a su les rattacher pour la plupart aux anciens cultes de l'univers entier et leur restituer ainsi un sens logique dont elles semblaient dépourvues.» Il serait tentant de voir en lui l'informateur de la romancière. Mais s'il avait été son intime dans sa jeunesse, il cessa de la fréquenter quand il fut marié. Son œuvre n'apporte pas moins une confirmation éclatante de la valeur documentaire de l'appendice: elle confirme par exemple l'assaut donné à la maison de la promise. Il existe plusieurs moutures de l'ouvrage. Dans la réimpression de 1900-1902 (Maisonneuve éditeur), de nombreux passages riches en détails précis ont été supprimés; en revanche George Sand y est citée comme une autorité: à propos de la présentation des livrées, de l'offrande du treizain. Quant à la cérémonie du chou, à laquelle était consacré un long développement dans la première mouture (p. 55-70 du t. II), elle est résumée de la sorte dans l'édition de 1902: «Toutes ces réjouissances nuptiales sont couronnées le second ou le troisième jour des noces, par la plantation du chou, bouffonnerie allégorique et philosophique, où le chou figure comme symbole de la fécondité et dont nous ne nous aviserons pas de parler, après la curieuse et complète description qu'en a donnée George Sand à la fin de *La Mare au Diable*» (p. 94).

En août 1851, parut dans *L'Illustration*, *Mœurs et coutumes du Berry*. Cet article, comme le précédent (juillet 1847) sur *Les Tapisseries du château de Boussac*, comme les suivants (1851-1852) sur *Les Visions de la nuit dans les campagnes*, fut joint en 1857 aux *Promenades autour d'un village*. «Le mariage, écrit-elle, est la seule grande fête de la vie d'un paysan... Cependant les cérémonies étranges de cette solennité tendent à se perdre. J'ai vu finir celle des *livrées*, qui se faisait la veille du mariage et qui avait une couleur bien particulière. Je l'ai racontée quelque part, ainsi que celle du *chou*, qui se fait le lendemain de la noce; mais cette dernière étant encore en vigueur, je crois devoir y revenir ici.»

La romancière, qui manifestement tire à la ligne, reproduit quasi in extenso le passage de *La Mare au Diable*. On note cependant tout le long du texte de menues corrections. Voici à titre d'exemple la variante du paragraphe, p. 191, «Mais pourquoi cette ovation à un personnage si repoussant» : «Mais pourquoi ce personnage repoussant doit-il, le premier, porter la main sur le chou dès qu'il est replanté dans la corbeille? Ce chou sacré est l'emblème de la fécondité matrimoniale; mais cet ivrogne, ce vicieux, ce païen, quel est-il? Sans doute il y a là un mystère antérieur au christianisme, la tradition de quelque bacchanale antique. Peut-être ce jardinier n'est-il pas moins que le dieu des jardins en personne à qui l'antiquité rendait un culte sérieux sous des formes obscènes. En passant par le christianisme primitif, cette représentation est devenue une sorte de *mystère*, *sotie* ou *moralité*, comme on en jouait dans toutes les fêtes.» La pertinence des corrections — pour le fond comme pour la forme (voir en particulier la rectification à propos de Priape) — apporte au lecteur qui aurait la patience de comparer les deux versions la preuve que George Sand est un modèle de rigueur.

IV. GEORGE SAND ET LES PEINTRES

Madame Thérèse Marix-Spire a consacré sa thèse de doctorat sur les romantiques et la musique au « cas George Sand ». Le cas George Sand illustrerait aussi bien une étude sur les romantiques et la peinture. Ses relations avec Delacroix, et surtout son amour pour son fils qui rêvait d'être un grand peintre, le mariage de ce dernier avec la fille de Calamatta suffiraient à justifier une telle étude. Regrettons que la thèse dactylographiée de Madame Tourneur sur *George Sand et Delacroix* n'ait pas été imprimée « *La Mare au Diable* est encadrée par la musique », notait L. Guichard. Il serait non moins juste d'observer que le roman est encadré par la peinture : au début, la gravure de Holbein ; à la fin, les gravures de Maurice Sand publiées en 1851 dans *L'Illustration* : *Les Livrées* ou *La Fête du chou*.

Le peintre Holbein (1497-1543), célèbre par ses portraits et ses tableaux religieux, est aussi l'auteur de suites de dessins dont la plus connue est *La Danse macabre*. Les dessins avaient été gravés par H. Lützelborger. L'édition de Bâle en 1530 groupait 40 gravures avec des inscriptions en allemand. En 1538, parut à Lyon la fameuse édition des Trechsel sous le titre *Simulachres et historiées faces de la mort, autant élégamment pourtraictes, que artificiellement imaginées*, comprenant 41 gravures, avec une inscription latine au-dessus (en général empruntée à la Bible), et un quatrain en français au-dessous. Les vers français sont attribués soit à J. de Vauzelles, soit à G. Corrozet. Le succès fut considérable et de 1538 à 1562, les éditions se multiplièrent, le nombre des planches passant de 41 à 53, puis de 53 à 58 dans la douzième. Le laboureur occupait la 38e place dans l'édition de 1538. Le quatrain accompagnant la planche est devenu l'épigraphe du premier chapitre du roman. Parmi ces éditions, certaines sont en latin. Le titre est alors : *Icones Mortis* ; les quatrains en français sont remplacés par des quatrains en latin. On s'est demandé si G. Sand avait eu entre les mains une édition ancienne. Elle avait en effet dans sa bibliothèque l'ouvrage de Fortoul publié en 1842, *Essai sur les poèmes et sur les images de*

la *Danse des morts*, où les *Icones Mortis* étaient reproduites
« d'après la sixième édition datée de Bâle en 1554 ».

Le roman fait allusion à d'autres gravures : la « fosse béante »
(p. 32) figure dans deux planches. G. Sand mentionne les
buveurs servis par la mort et insiste sur la planche représentant
le pauvre Lazare. On a observé à ce propos que, contrairement
à ses dires, la mort est absente, non pas dans cette seule gravure, mais dans plusieurs autres. Dans son commentaire, la
romancière a accentué la tristesse de la gravure du laboureur.

Le poème de Baudelaire *La Rançon* (qui ne figure pas dans
Les Fleurs du Mal mais dans *Les Épaves*) semble inspiré également par la gravure de Holbein ; mais, si l'on considère que,
dans un manuscrit de 1852 le poème comprenait une 5e strophe
et que Baudelaire avait ajouté entre parenthèses après le titre :
« Socialisme mitigé », il est plus naturel de penser qu'il s'inspirait du début de *La Mare au Diable*. On retrouve dans le poème
et dans le deuxième chapitre du roman les mots : moisson,
esclavage, liberté, et à la formule : « ils aiment ce sol arrosé de
leurs sueurs » correspondent les deux vers :

> *Des pleurs salés de son front gris*
> *Sans cesse il faut qu'il les arrose.*

Le rapprochement avec Holbein avait été fait par J. Prévost,
mais contesté par J. Pommier et Cl. Pichois dans leur édition
illustrée des *Fleurs du Mal* à cause de « l'absence de la Mort
qui fait marcher l'attelage chez Holbein et qui (dans *La Rançon*) n'apparaît point ». Dans les *Tableaux parisiens*, l'évocation du squelette qui bêche est intitulée *le Squelette Laboureur*.
En janvier 1858, Th. Gautier publia dans *L'Artiste*, *Bûchers et
tombeaux* où il s'inspire à la fois des *Simulachres* d'Holbein et
des *Caprices* de Goya. La gravure du laboureur est évoquée
dans la 18e strophe : (Le blanc squelette)

> *Piquant l'attelage qui rue*
> *Avec un os pour aiguillon*
> *Du laboureur à la charrue*
> *Termine en fosse le sillon.*

G. Sand avait été non moins frappée par les tableaux religieux d'Holbein. À la fin du chapitre III de l'Appendice, elle
remarque, à propos du costume de la mariée : « Aujourd'hui…
il n'y a plus dans leur toilette cette fine fleur d'antique pudicité
qui les faisait ressembler à des vierges d'Holbein. » Dans un
roman précédent, *Jeanne*, elle avait déjà imaginé son héroïne
sur le modèle de la Vierge d'Holbein, cette « fille des champs
rêveuse, sévère et simple ». La Madone du bourgmestre Meyer
est la plus célèbre.

Les notes éclaircissent les allusions du texte à Holbein,
Dürer, Michel-Ange, Callot, Goya, Raphaël ou Fouquet (voir
notes 1, p. 32, p. 35 et p. 155). Nous voudrions ici souligner
deux points qui — *peut-être* — ont joué un rôle dans la genèse
de l'œuvre.

George Sand admirait le paysagiste Théodore Rousseau.
C'est par Delacroix qu'elle avait fait sa connaissance en 1839.
Avant de vouloir le marier en 1847 avec sa cousine Augustine
Brault, elle fit tout pour imposer le peintre en butte à l'hostilité
des jurys.

Comme elle lui avait vanté le Berry, Rousseau, au cours de
l'été 1842, séjourna dans l'Indre. Ce séjour lui inspira deux
tableaux remarquables : *La Mare* et *Sous les hêtres le soir*.

Dans son *Salon* de 1844, le critique d'art Thoré, qui protégeait
lui aussi Rousseau, apostrophe le peintre en ces termes lyriques :
« C'est là [dans la mansarde de la rue Taitbout où il logeait] que
George Sand vint un jour te voir, amenée par Eugène Delacroix.
Toi qui n'as jamais songé à la faveur publique, et qui as toujours
fait de l'art par amour, ce fut cependant, je pense, un des plus
beaux jours de ta vie. Les deux plus grands peintres du dix-neu-
vième siècle, Eugène Delacroix et George Sand, venant te traiter
de frère. Delacroix trouvant par modestie sa palette terne à côté
de ta couleur, lui qui a fait les plus beaux ciels du monde, George
Sand reniant ses paysages du Berry à côté de tes paysages de la
rue Taitbout, elle qui a peint avec la parole mieux que Claude ou
Hobbema… » (cité d'après le bel ouvrage de J. Bouret, *L'École
de Barbizon*, 1972, p. 134-135).

Au sujet de Delacroix, il convient de rappeler qu'en [1]845 le jury du Salon venait de refuser son *Éducation de la Vierge*, tableau qu'il avait peint à Nohant en 1842 et offert à George Sand. «Ma bonne et ma filleule posaient», nous apprend la romancière. Sous les frondaisons qui sont celles du jardin de Nohant, le visage de la Vierge enfant, si calme, illustre idéalement le visage de la petite Marie.

En juillet 1842, George Sand écrit à Delacroix qui vient de quitter Nohant: «Je me retrempe un peu avec ma sainte Anne et ma petite Vierge. Je les regarde en cachette quand je me sens défaillir, et je les trouve si vraies, si naïves, si pures que je me remets au travail avec de beaux types et des idées fraîches...» (*Correspondance*, Lubin, t. V, p. 722).

BIBLIOGRAPHIE

Manuscrit : Bibliothèque nationale. Nouvelles acquisitions françaises : 12231.

Éditions modernes de *La Mare au Diable* :
 Classiques Garnier, 1962, éd. de P. Salomon et J. Mallion.
 Garnier-Flammarion, 1964, préface de P. Reboul.

Autres œuvres de George Sand à consulter :

Romans champêtres : *François le Champi*, *La Petite Fadette*, *Les Maîtres sonneurs*. Classiques Garnier, éd. de P. Salomon et J. Mallion.
Œuvres diverses : *La Vallée noire*, 1846, à la suite de *Le Secrétaire intime*. *Le Diable aux champs*, 1855. *Promenades autour d'un village*, 1857.

Œuvres autobiographiques : Bibliothèque de la Pléiade, Gallimard, 1970-1971, 2 vol., éd. de G. Lubin.

Correspondance : Classiques Garnier, 1964-1991, 25 vol., éd. de G. Lubin. (Sur *La Mare au Diable* consulter en particulier le tome VII.)

Ouvrages à consulter :

A. Maurois, *Lélia ou la vie de George Sand*, Hachette, 1952.
P. Salomon, *George Sand*, Hatier-Boivin, 1953.
Catalogue de l'exposition George Sand à la Bibliothèque nationale, 1954.
B. Didier, *George Sand écrivain*, P.U.F., 1998.

L. Vincent, I, *George Sand et le Berry*, II, *Le Berry dans l'œuvre de George Sand*, Champion, 1919.
    La Langue et le style rustiques de George Sand dans les romans champêtres, Champion, 1916.
J. Tiersot, *Chanson populaire et les écrivains romantiques*, Paris, 1931 (p. 140-254).
M.-Th. Rouget, *George Sand « socialiste »*, Lyon, 1939.
L. Guichard, *La Musique et les lettres au temps du Romantisme*, P.U.F., 1955 (p. 355-384).
P. Bénichou, *Nerval et la chanson folklorique*, Corti, 1970 (p. 152-160).

DOSSIER

DU MÊME AUTEUR

Dans la même collection

Composition Interligne.
Impression Bussière Camedan Imprimeries
à Saint-Amand (Cher), le 22 août 2003.
Dépôt légal : août 2003.
1er dépôt légal dans la collection : septembre 1999.
Numéro d'imprimeur : 034019/1.
ISBN 2-07-041121-4./Imprimé en France.

126935